追究型学習のすすめ

「教わる」からの卒業

秋田県小・中学校進路指導研究会　名誉会長
小林一彦　著

実業之日本社

この本を読む前に……あなたは答えられますか？

「使わない知識はすぐになくなる！」

分かりますか？　覚えていますか？

○学校の電話番号

○突然会った教え子の名前

○自分の携帯電話のナンバー

○自分の家族の自家用車のナンバー

学校の電話番号は，ナンバーを登録している場合は，答えるのが難しいと思います。突然会った教え子は，よっぽど印象が強いか，卒業後どこかで会っている場合には，思い出せますが，突然の場合は，教え子の名前は思い出せないのではないでしょうか。自分の携帯の電話番号やメールアドレスは，普段から外部に向けて使っている場合はいとも簡単に言えると思いますが，そうでない場合は，思い出せないと思います。「自分の家族の自家用車のナンバー」は，どうでしょう。携帯電話の11桁の数字は言えるのに，たった４桁の数字が言えない場合がよくあります。

あなたはどうでしょう。そもそも家族の車のナンバーなど覚える必要などないとか，また単なる数字の学習ではないかと感じるかもしれません。

本書で重視しているのは，「教育調査からの状況」や「使われない知識はすぐに消え去ること」，「新学習指導要領を受けた今後の学習展開の具体的な在り方」などです。

今日，子供たちが学習したことがどのように生活や将来につながっているのか。またその必然性。そして，「追究型学習」を全教育活動で行うことで学校も生徒も変わっていったことについても述べていきます。

時代の先を読み，どんな学習形態が有効になるかを考えてきました。

全ての活動で行う「追究型学習」＝「教わる」からの卒業

●授業でできるキャリア教育からの改革！

「『教わる』からの卒業」とは，どういうことでしょうか。大まかにはその言葉通りですが，そこには深い意味があります。学校教育では，学んだことが生活や将来に生かされていくために「追究型学習」を通して「使いこなせる知識」を身に付けて行くわけですが，「教わるからの卒業」のためには，全教育活動において，ちょっとした発想の転換が必要になります。

2020年度以降，学習指導要領[1]が小学校・中学校・高等学校と次々に改訂となり，学習の取組の考え方を少し変えていかなければならないと思います。なかにはこれまで通りと変わらないという方もいれば，危機感を感じて力を入れていかなければという方もいる状況だと思います。

私は，今回の改訂は大きな変革だと思っています。これまでしっかりとした学習を日々展開してきた方々は変化をあまり感じないのかもしれませんが，実は，学習の在り方(のプロセス)自体を根幹から考える必要がある改訂だと思っています。

時代の変化の中で時間の流れはますます速くなっています。同時に教育界もその流れにおいていかれないようにしなければなりません。

10年・30年後にはどんな社会になっているのでしょう？　30年後には消滅する職業もたくさんあると考えられてますが，逆に今の子供たちが将来就く職業は，今は存在しない職業が非常に多いと考えられています。このような環境のもとで学校ではどのような学習をしていけばよいのでしょうか。

また，世の中には現在５万種以上の仕事があるといわれていますが，学校ではどのくらいの職業(の数)を紹介することができるのでしょうか。これまでの活動を振り返り，根本から考え直す時期にすでに来ていることを感じています。

私は以下の観点から「教わるからの卒業」の授業を組み立ててきました。

話は飛躍しますが，例えば，「納豆にからしやネギを入れるか」「ラーメンに胡椒を入れるか，入れないか」の少しの違いで大きな味の変化が現れてきます。

「教わるからの卒業」のための観点

●全教育活動において，どんなキャリア教育の取組ができるのか？

●将来や生き方に授業をどうやってつなげていくのか？

取組のほんの少しの違いが，結果として大きな違いになってきます。

これまでの学習形態を全て否定するのではありません。そして，これまでの授業を大幅に変えるものでもありません。

追究型学習を進めると，生活の中で堂々と活力ある行動をとったり，相手をリスペクトする気持ちがより強くなって集団の中で認め合ったりする子供になっていきます。追究型学習の主な目的ではありませんが，試験やテストでもその効果はあらわれ，有効なはたらきをしていきます。

生物学者のチャールズ・ダーウィンは「最も強い者が生き残るのではなく，最も賢い者が生きのびるのでもない。唯一生き残るのは，変化に対応できる生物である。」と述べています。これは，個体ではなく，全体での偶然の変異に基づく進化のことではありますが……。

もちろん，状況や分野は違うものの，教育の発想にも当てはめることができると思います。授業スタイルを改善していくことが大切であることは周知の通りですが，実際に教師が，自ら改善に進んでいくためには，その必要性を十分理解し，自ら必要性を強く感じていないと，実際の実践・改善にまで到達できません。

●学校は研究が全てです！

教師集団が同じベクトルで効果的に動き出して行くため，私は校長として，次の内容を整備してきました。

【同じベクトルで動くための柱】	
1．研究の客観的な必要性を説く （第１章「なぜキャリア教育を生かした授業が大切なのか」）	5．実践の明確化 実践１～３に絞った実践 （第３章「追究型学習の実際」）
2．研究の方向性 「追究型学習＝『教わる』からの卒業」 （第２章「追究型学習の概要」）	6．研究主任・学習部長との密な連携
3．実践の目玉作り 「追究型学習課題」と「リフレクション」 （第３章「追究型学習の実際」）	7．研究主任・学習部長のサポート
4．研究の単純化	8．研修と演習をセット（同時）に 演習に力を入れた校内研修（複数回） （第４章「先生の変化」）

授業改善＝「変化」とまではいかないかも知れませんが，現在の状況を踏まえると，新学習指導要領に沿い，その意図を把握しつつ，変化すべきは変化していかなければならないと思います。

●【追究型学習の構造】＝教わるからの卒業

1	**追究型の学習課題[2]の設定**	①意図的な内容を生徒から導き出す手法として，キーワード，マスキング，関係資料などの有効活用。 ②100％を児童生徒に任せるのではない。 ③学習のねらいに沿った課題設定。 ④**方法と結果に見通し**をもつ。
2	**追究活動**	①課題を解決する方法を考え，自分の行動を考える。 ②比較したり，検討したり，試したり自力解決を図る。 ③課題に迫る２－②の活動から集団へ。
3	**学習のまとめ**	①学習した内容の習得（教師による短時間の説明） ②本時の学習の知識・理解などの確認 ③**「リフレクション」と「まとめ」は明確に分離**する。
4	**学習課題でリフレクション（振り返り）**	①**あくまでも学習課題で振り返る。**追究型学習の最大のポイントは「課題設定」にある。 ②生活や将来，今後の学習に生かすつながりを確認する。単なる感想発表にならないようにする。 ③リフレクションは**毎時間必ず行う。**（習得的学習でも）

この表の内容について，第１章～第５章でポイントを絞って説明していきます。

このような学習形態は，決して「飛び抜けて珍しい」とか，「素晴らしい」ということではありません。

実際に，似たような学習形態，そしてその取組などがすでにあると思います。なぜならここで紹介する内容は，新学習指導要領に限りなく沿っているからです。「主体的・対話的で深い学び」の展開は様々あることも前置きしたいと思います。

本書で展開していきたいのは，見せかけではなく，これまでの実践例で効果があった内容や（苦労をどのように捉えるかは別として）苦労した実践内容の紹介です。頭で分かっていても，真の取組ができないことがよくあります。実際に「どういう取組」を「どのようにして」，「どんな方法で」，「どのくらい」取り組んできたかを紹介していくことで，「真の取組」の一助となることを期待しています。さらに，実践プロセスの苦労解決や全教育活動で行う追究型学習だからあらわれる効果についても触れながら説明していきたいと思います。

【用語補足解説】

※１　学習指導要領（P3）

学習指導要領は，学校教育法第１条に規定する各教科で教える内容を，学校教育法施行規則の規定を根拠に定めたもの。文部科学省は，学習指導要領のより詳細な事項を記載した『学習指導要領解説』を発行している。問題解決的な学習や体験的な学習などを取り入れた，指導方法の工夫が求められている。

※２　学習課題（P5）

学習課題は授業を進める上での方向性を示す文である。子供の疑問を拾い上げ，教師の意図的な課題を設定し，学習を深めていく。文章には「？」マークが付く。授業では，「レッツ型（○○しよう！）」という「学習目標」も使われている。

目次

秋田県大館市は，秋田県北部に位置する人口約 7.2 万人の市である。「大館盆地を教室に」として，「ふるさとキャリア教育」を全小・中学校で展開している

第 1 章

なぜキャリア教育を生かした授業が大切なのか？

今回の学習指導要領（平成29年・30年改訂）では，キャリア教育の重要性が強く打ち出されています。

「生徒が，学ぶことと自己の将来とのつながりを見通しながら，社会的・職業的自立に向けて必要な基盤となる資質・能力を身に付けていくことができるよう，特別活動を要としつつ各教科等の特質に応じて，キャリア教育の充実を図ること。その中で，生徒が自らの生き方を考え主体的に進路を選択することができるよう，学校の教育活動全体を通じ，組織的かつ計画的な進路指導を行うこと。」
（学習指導要領　総則より）

キャリア教育という教科はありません。しかし，ここにはその重要性が示されています。ならば，全教育活動で実際に取り組むことが必要と考え，その具体的な方法を探ってきました。「全教育活動で何ができるのか？」「どんなキャリア教育ができるのか？」

その取組は,「**全教育活動でできること**」。「**教科そのものを教えるだけではないこと**」です。各教科等の側面として，「基礎的・汎用的能力[1]」の育成に迫ることを考えると学習展開の場面場面で，学習の取組方法に共通性があるとキャリア教育に大きくアプローチでき，学びが生活や将来につながっていきます。

轍（わだち）……キャリア教育の語源。現在のキャリア教育は未来につながっている。

1．校長の思いをいかに伝え，実践していくか

実際に全職員で共通の事項を実行していくためには，校長のリーダーシップが必要です。しかし，リーダーシップがトップダウンになってしまっては，ことは実現・実行できません。ミドルリーダーを巻き込み，こちらの考えを理解してもらう地道な活動の積み重ねが大切です。

私は研究主任，学習指導部長と共に校内の授業を参観し，巡り歩きながらできる，「ミニミニ研究会」のような話合いを行い，参観した先生方にも目的を伝え，校長の思いを繰り返し伝え，学習に向かう研究の方向性の浸透を図ってきました。

そこにはすでに「追究型の学習形態」があり，校長が考える方向性をいかにして伝え，共通理解を図りながら実践していくかが大きな壁となりました。

「学習指導要領の趣旨そのままである」などといった表面上の説明だけでは，現場へは浸透できません。やはり，**ミドルリーダーの十分な理解と実践の効果の検証**ということが，遠回りではありますが，確実に校長の思いを全職員に伝える有効な手立てとなりました。何も効果のない事項なのであれば，あえて行おうとしないのは当然です。

一見大変ですが，実行してみると，その効果の違いが，子供の反応や結果にあらわれてきます。先生方からは**「子供の反応が全然違う」「食いつきが違う」**という感想が次々に出始めてきました。そこには教師集団が追究型学習の効果を実感し始める瞬間があったのです。

【校内への周知徹底フロー】

- 新学習指導要領とその背景について説明 …………………… 正しい判断，必要性
- 本校の研究の方向性の提示・説明 …………………………… 正しい方向性の確認
- 「追究型学習課題の構造」のレクチャー（1） ………………… 構造の理解
- 「追究型学習展開」のレクチャー（1） ……………………………… 展開の理解
- 全員校内研修会で具体的演習 ……… 授業で使う追究型学習課題の協議・判断
- 「追究型学習課題の構造」の検証（2） ………………… 日々の授業参観・助言
- 「追究型学習展開」の検証（2） ………………………… 日々の授業参観・助言
- 「授業を見合う会」の設定と奨励
  …………………… 空き時間の少ない中，ポイントを決めて短時間参観
- 参観者の感想メモの共有による授業改善 …… 参観で終わりでなく互いに助言
- 校長通信による情報及び資料提供の繰り返し ………………… 軌道修正もあり

※全体での確認を行いつつ，特に研究主任・学習部長を含めての小会議を機能させながらPDCACサイクルで繰り返し実践してきた。

2．新学習指導要領の方向性と「追究型学習」

今回の新学習指導要領は，今後の学習の在り方に強い示唆を与えています。受験勉強とかテストのためだけではなく，生活や将来につながる学習がより一層求められています。大きな表題は「生きる力，学びの，その先へ」となっています。

課題は，少なくともこれまでの教育で見落としていたと思われる「結果的な記憶の定着」にあります。PISA[2]やTIMSS[3]から見取れる学力とその必要性は真逆です。日本の子供たちは数学・理科の学力は世界トップレベルです（P12〜P14表参照）が，その学習が「生活で役立つ」とか「大切だ」と感じている生徒はほとんどいない現状にあるのです。

つまり，学びの目的が試験やテストにあり，目的が達成されると，その学び（知識）は必要なくなる，または使われなくなる。そして使われない知識は，いとも簡単に消え去ってしまう。その結果が，PISAやTIMSSの質問紙や「成人の科学テスト[4]」に顕著に現れているのです。新学習指導要領の方向性は「学ぶことの意味」にあり，「追究型学習」も同様です。

諸外国と比較した日本の結果

● OECD加盟国（35か国）における比較

	科学的リテラシー	平均得点	読解力	平均得点	数学的リテラシー	平均得点
1	**日本**	**538**	カナダ	527	**日本**	**532**
2	エストニア	534	フィンランド	526	韓国	524
3	フィンランド	531	アイルランド	521	スイス	521
4	カナダ	528	エストニア	519	エストニア	520
5	韓国	516	韓国	517	カナダ	516
6	ニュージーランド	513	**日本**	**516**	オランダ	512
7	スロベニア	513	ノルウェー	513	デンマーク	511
8	オーストラリア	510	ニュージーランド	509	フィンランド	511
9	イギリス	509	ドイツ	509	スロベニア	510
10	ドイツ	509	ポーランド	506	ベルギー	507
11	オランダ	509	スロベニア	505	ドイツ	506
12	スイス	506	オランダ	503	ポーランド	504
13	アイルランド	503	オーストラリア	503	アイルランド	504
14	ベルギー	502	スウェーデン	500	ノルウェー	502
15	デンマーク	502	デンマーク	500	オーストリア	497
	ＯＥＣＤ平均	493	ＯＥＣＤ平均	493	ＯＥＣＤ平均	490
	信頼区間※（日本）：533-544		**信頼区間（日本）：510-522**		**信頼区間（日本）：527-538**	

PISA2015の結果（文科省HPより）

【平均得点の推移】

		1995		1999		2003		2007		2011		2015
小学校4年生	算数	567点 (3位/26か国)		(調査実施せず)	有意差なし	565点 (3位/25か国)	有意差なし	568点 (4位/36か国)	有意に上昇	585点 (5位/50か国)	有意に上昇	593点 (5位/49か国)
小学校4年生	理科	553点 (2位/26か国)		(調査実施せず)	有意に低下	543点 (3位/25か国)	有意差なし	548点 (4位/36か国)	有意に上昇	559点 (4位/50か国)	有意に上昇	569点 (3位/47か国)
中学校2年生	数学	581点 (3位/41か国)	有意差なし	579点 (5位/38か国)	有意に低下	570点 (5位/45か国)	有意差なし	570点 (5位/48か国)	有意差なし	570点 (5位/42か国)	有意に上昇	586点 (5位/39か国)
中学校2年生	理科	554点 (3位/41か国)	有意差なし	550点 (4位/38か国)	有意差なし	552点 (6位/45か国)	有意差なし	554点 (3位/48か国)	有意差なし	558点 (4位/42か国)	有意に上昇	571点 (2位/39か国)

PISA の推移（文科省 HP より）。日本は長らく上位を推移

TIMSS 2015 Mathematics 8th Grade

Exhibit 10.7: Students Value Mathematics

Reported by Students

Country	Strongly Value Mathematics		Value Mathematics		Do Not Value Mathematics		Average Scale Score	Difference in Average Scale Score from 2011	
	Percent of Students	Average Achievement	Percent of Students	Average Achievement	Percent of Students	Average Achievement			
South Africa (9)	72 (0.8)	382 (4.6)	24 (0.7)	360 (5.7)	4 (0.3)	329 (7.5)	11.1 (0.04)	-0.1 (0.05)	
Botswana (9)	72 (0.8)	411 (1.9)	25 (0.7)	359 (3.4)	3 (0.3)	312 (6.9)	11.2 (0.04)	0.1 (0.05)	
Morocco	68 (0.8)	395 (2.4)	27 (0.7)	368 (2.8)	5 (0.3)	349 (4.9)	11.1 (0.04)	-0.4 (0.05)	▼
Jordan	65 (0.9)	399 (3.3)	29 (0.8)	372 (3.8)	6 (0.4)	350 (7.2)	11.0 (0.04)	0.0 (0.06)	
Egypt	61 (1.2)	409 (4.0)	32 (1.0)	374 (4.7)	7 (0.5)	365 (8.1)	10.8 (0.06)	◊ ◊	
Oman	59 (0.9)	421 (2.6)	35 (0.7)	384 (2.8)	6 (0.4)	359 (6.3)	10.7 (0.04)	-0.2 (0.05)	▼
Israel	58 (1.0)	524 (4.4)	34 (0.8)	505 (4.3)	8 (0.5)	462 (7.1)	10.5 (0.05)	-0.1 (0.06)	
Lebanon	58 (1.4)	453 (3.9)	34 (1.1)	438 (4.7)	9 (0.6)	425 (7.0)	10.7 (0.07)	0.3 (0.09)	▲
Iran, Islamic Rep. of	53 (1.0)	446 (5.3)	38 (0.9)	431 (4.6)	9 (0.5)	407 (6.4)	10.4 (0.04)	0.0 (0.06)	
Canada	51 (0.8)	540 (2.2)	42 (0.6)	522 (2.3)	7 (0.5)	483 (3.7)	10.3 (0.03)	◊ ◊	
Thailand	50 (1.2)	446 (5.3)	45 (1.1)	421 (4.9)	5 (0.4)	390 (6.9)	10.3 (0.04)	0.1 (0.06)	
Turkey	47 (1.1)	472 (5.4)	41 (0.8)	449 (5.1)	12 (0.6)	436 (6.0)	10.1 (0.05)	0.1 (0.07)	
England	46 (1.1)	526 (4.4)	46 (0.9)	518 (4.5)	8 (0.6)	490 (6.5)	10.1 (0.05)	0.0 (0.06)	
Kuwait	46 (1.4)	405 (5.7)	42 (1.1)	388 (5.1)	12 (0.8)	366 (6.2)	10.0 (0.06)	◊ ◊	
Chile	46 (1.0)	436 (3.6)	42 (0.9)	424 (3.6)	12 (0.8)	412 (5.2)	10.0 (0.04)	-0.3 (0.05)	▼
Qatar	45 (1.0)	465 (3.5)	41 (0.8)	429 (3.3)	13 (0.6)	386 (5.4)	10.0 (0.04)	-0.1 (0.07)	
United Arab Emirates	45 (0.8)	487 (2.7)	45 (0.6)	456 (2.3)	11 (0.4)	420 (3.9)	10.0 (0.04)	-0.3 (0.05)	▼
Georgia	44 (1.1)	466 (4.2)	46 (1.0)	451 (3.6)	9 (0.7)	423 (6.8)	10.1 (0.05)	-0.5 (0.06)	▼
United States	44 (0.8)	531 (3.6)	45 (0.6)	516 (3.1)	11 (0.4)	488 (3.8)	10.0 (0.03)	-0.2 (0.04)	▼
Malta	44 (0.7)	509 (2.2)	45 (0.8)	492 (1.8)	11 (0.5)	458 (4.6)	10.0 (0.03)	◊ ◊	
Australia	43 (0.9)	524 (3.1)	46 (0.8)	501 (3.3)	12 (0.7)	464 (3.9)	9.9 (0.04)	-0.1 (0.06)	
Saudi Arabia	42 (1.4)	379 (5.4)	42 (1.0)	369 (4.8)	15 (0.9)	344 (7.2)	9.8 (0.07)	-0.3 (0.09)	▼
New Zealand	42 (0.8)	505 (4.1)	48 (0.8)	491 (3.2)	10 (0.4)	458 (5.3)	9.9 (0.03)	-0.1 (0.05)	
Bahrain	41 (0.9)	473 (2.4)	43 (0.9)	450 (2.6)	16 (0.9)	424 (4.6)	9.8 (0.05)	-0.2 (0.07)	▼
Ireland	41 (0.9)	534 (3.3)	48 (0.8)	520 (3.1)	11 (0.5)	501 (4.6)	9.8 (0.04)	◊ ◊	
Norway (9)	41 (1.0)	527 (2.7)	48 (0.9)	509 (2.5)	12 (0.5)	476 (3.7)	9.8 (0.04)	◊ ◊	
Kazakhstan	40 (1.2)	538 (5.7)	52 (0.9)	522 (5.8)	8 (0.5)	523 (6.9)	10.0 (0.05)	-0.3 (0.07)	▼
Malaysia	39 (0.9)	487 (3.5)	53 (0.7)	458 (4.0)	8 (0.7)	425 (6.2)	9.8 (0.04)	-0.2 (0.07)	▼
Lithuania	37 (1.1)	523 (4.5)	53 (0.9)	507 (2.7)	11 (0.6)	490 (4.8)	9.7 (0.04)	-0.3 (0.05)	▼
Singapore	34 (0.8)	629 (3.5)	58 (0.7)	621 (3.4)	8 (0.4)	590 (5.8)	9.7 (0.03)	-0.3 (0.04)	▼
Russian Federation	31 (1.2)	547 (6.4)	52 (1.1)	538 (4.8)	17 (0.7)	522 (5.2)	9.4 (0.05)	-0.4 (0.07)	▼
Hungary	28 (0.9)	537 (6.2)	54 (0.9)	511 (3.6)	19 (0.9)	492 (5.0)	9.3 (0.05)	-0.2 (0.06)	▼
Sweden	28 (1.2)	518 (3.8)	58 (1.2)	501 (2.9)	14 (0.8)	471 (4.5)	9.4 (0.05)	-0.1 (0.06)	
Italy	19 (0.8)	513 (3.8)	57 (0.9)	496 (3.0)	24 (0.8)	477 (3.4)	8.9 (0.03)	-0.1 (0.05)	
Slovenia	19 (0.8)	532 (4.5)	64 (1.0)	516 (2.3)	17 (0.8)	499 (2.9)	9.0 (0.03)	-0.2 (0.05)	▼
Hong Kong SAR	19 (0.8)	617 (5.4)	52 (1.0)	602 (4.3)	29 (1.0)	567 (5.6)	8.7 (0.05)	-0.5 (0.06)	▼
Korea, Rep. of	13 (0.6)	656 (4.4)	63 (0.9)	614 (2.8)	24 (0.8)	557 (3.7)	8.6 (0.04)	0.0 (0.05)	
Japan	11 (0.6)	614 (4.4)	59 (0.7)	595 (2.5)	29 (0.9)	560 (3.6)	8.5 (0.03)	0.0 (0.05)	
Chinese Taipei	10 (0.5)	650 (4.8)	49 (0.9)	621 (2.8)	41 (1.0)	561 (2.8)	8.1 (0.04)	-0.1 (0.06)	

SOURCE: IEA's Trends in International Mathematics and Science Study – TIMSS 2015

TIMSS2015 の結果「数学が大切か」。日本は下から２番目

Exhibit 10.7: Students Value Science
Reported by Students

Country	Strongly Value Science		Value Science		Do Not Value Science		Average Scale Score	Difference in Average Scale Score from 2011
	Percent of Students	Average Achievement	Percent of Students	Average Achievement	Percent of Students	Average Achievement		
Botswana (9)	73 (0.8)	423 (2.3)	23 (0.7)	332 (4.2)	4 (0.3)	292 (9.6)	11.6 (0.03)	0.2 (0.04) ○
Jordan	68 (0.9)	440 (3.2)	25 (0.8)	414 (4.4)	7 (0.5)	391 (7.3)	11.4 (0.04)	0.2 (0.06) ○
Egypt	65 (1.2)	392 (3.9)	29 (0.9)	347 (5.4)	6 (0.4)	334 (6.9)	11.3 (0.05)	◊ ◊
Oman	62 (1.0)	469 (2.7)	32 (0.9)	438 (3.5)	6 (0.4)	429 (5.7)	11.1 (0.04)	-0.1 (0.05)
Morocco	59 (1.0)	402 (2.7)	33 (0.7)	387 (3.4)	8 (0.4)	389 (4.5)	11.0 (0.04)	- -
Lebanon	58 (1.3)	420 (5.0)	32 (1.1)	381 (6.4)	10 (0.7)	359 (9.2)	11.0 (0.05)	- -
Iran, Islamic Rep. of	57 (1.1)	465 (4.8)	32 (0.8)	446 (4.2)	10 (0.6)	446 (5.1)	10.9 (0.05)	0.4 (0.06) ○
South Africa (9)	57 (1.2)	366 (5.6)	31 (0.8)	344 (6.1)	12 (0.8)	383 (9.4)	10.8 (0.05)	0.1 (0.07)
Kuwait	54 (1.1)	422 (5.8)	36 (1.0)	405 (6.1)	10 (0.6)	381 (7.8)	10.7 (0.04)	◊ ◊
Bahrain	52 (1.1)	485 (2.6)	34 (0.9)	457 (3.6)	14 (0.6)	435 (5.0)	10.6 (0.04)	0.4 (0.06) ○
Qatar	50 (1.0)	486 (3.8)	35 (0.9)	443 (3.6)	15 (0.5)	411 (4.7)	10.6 (0.04)	0.1 (0.07)
Thailand	49 (1.2)	472 (4.6)	45 (1.1)	442 (4.2)	6 (0.4)	427 (7.2)	10.7 (0.04)	0.2 (0.06) ○
Saudi Arabia	49 (1.5)	411 (5.5)	36 (1.0)	391 (5.0)	15 (1.1)	381 (6.3)	10.5 (0.07)	0.0 (0.09)
United Arab Emirates	48 (0.7)	504 (2.8)	39 (0.5)	460 (2.6)	13 (0.5)	438 (4.1)	10.5 (0.03)	0.1 (0.05)
Turkey	46 (1.0)	505 (4.5)	40 (0.8)	485 (4.5)	14 (0.8)	485 (5.2)	10.4 (0.05)	0.4 (0.06) ○
Georgia	43 (1.2)	454 (3.7)	45 (1.1)	444 (4.0)	12 (0.8)	430 (6.8)	10.5 (0.05)	- -
Kazakhstan	41 (1.2)	546 (4.8)	49 (1.0)	525 (5.2)	10 (0.8)	527 (6.6)	10.5 (0.05)	- -
Israel	40 (1.1)	523 (4.6)	36 (0.7)	512 (4.4)	24 (1.0)	481 (4.9)	10.0 (0.06)	0.3 (0.08) ○
England	39 (1.1)	558 (4.1)	43 (0.8)	536 (3.9)	18 (0.9)	502 (4.5)	10.1 (0.05)	0.0 (0.07)
United States	38 (0.8)	550 (3.2)	42 (0.7)	529 (2.8)	19 (0.6)	501 (3.1)	10.1 (0.03)	0.3 (0.05) ○
Malaysia	38 (1.0)	483 (3.4)	54 (0.8)	481 (4.3)	9 (0.8)	387 (8.9)	10.4 (0.04)	0.1 (0.08)
Russian Federation	38 (1.4)	544 (5.2)	48 (1.2)	545 (4.1)	14 (0.6)	543 (5.9)	10.2 (0.05)	- -
Lithuania	38 (1.1)	525 (3.5)	47 (0.9)	517 (3.1)	15 (0.8)	515 (5.2)	10.2 (0.04)	- -
Singapore	37 (0.8)	621 (3.4)	53 (0.7)	589 (3.4)	10 (0.5)	548 (4.7)	10.2 (0.03)	0.1 (0.04)
Malta	37 (0.7)	536 (2.9)	37 (0.8)	475 (2.8)	26 (0.7)	436 (3.6)	9.9 (0.03)	◊ ◊
Canada	37 (0.8)	546 (2.5)	44 (0.8)	525 (2.4)	19 (0.8)	501 (2.9)	10.1 (0.03)	◊ ◊
Chile	32 (1.1)	458 (4.3)	41 (0.9)	453 (3.6)	27 (0.8)	455 (3.4)	9.7 (0.05)	-0.2 (0.06) ▼
New Zealand	30 (0.8)	537 (4.1)	46 (0.7)	514 (3.4)	24 (0.9)	486 (3.2)	9.7 (0.04)	0.5 (0.06) ○
Ireland	30 (0.9)	557 (3.4)	43 (0.8)	540 (3.0)	27 (1.0)	501 (3.8)	9.6 (0.05)	◊ ◊
Australia	27 (0.9)	547 (3.2)	41 (0.6)	517 (2.7)	32 (0.8)	482 (3.4)	9.4 (0.04)	0.3 (0.08) ○
Hong Kong SAR	24 (1.0)	565 (5.0)	46 (1.0)	549 (4.2)	31 (1.2)	528 (4.3)	9.4 (0.05)	-0.1 (0.07)
Sweden	21 (1.0)	535 (5.7)	50 (0.9)	532 (3.7)	28 (1.3)	503 (3.8)	9.4 (0.05)	- -
Norway (9)	21 (0.9)	526 (4.4)	51 (0.8)	515 (3.1)	29 (0.9)	489 (3.4)	9.4 (0.04)	◊ ◊
Hungary	21 (0.9)	539 (6.8)	48 (0.8)	526 (3.4)	32 (1.1)	522 (3.5)	9.3 (0.04)	- -
Slovenia	20 (0.8)	577 (4.2)	52 (0.9)	556 (2.9)	28 (1.0)	525 (3.2)	9.3 (0.04)	- -
Italy	15 (0.7)	516 (4.5)	46 (1.1)	502 (2.9)	40 (1.1)	490 (3.3)	9.0 (0.04)	0.1 (0.05)
Korea, Rep. of	13 (0.6)	605 (4.2)	51 (0.9)	566 (1.9)	36 (0.9)	522 (2.5)	9.0 (0.04)	0.1 (0.05)
[illegible] Taipei	11 (0.5)	616 (4.5)	38 (0.9)	589 (2.5)	51 (1.0)	546 (2.1)	8.6 (0.03)	0.1 (0.06)
Japan	9 (0.5)	605 (3.6)	44 (0.8)	586 (2.0)	47 (0.9)	550 (2.3)	8.6 (0.03)	0.1 (0.05)

SOURCE: IEA's Trends in International Mathematics and Science Study - TIMSS 2015

TIMSS2015の結果「理科が大切か」（文科省HPより）。日本は最下位

2002年データではありますが，「科学基礎知識のテスト[5]」を18～69歳の男女3千人に面接し，欧州連合(EU)やアメリカなどの調査結果と比べています。日本人の正答率は51%でした。そのテストの内容は，

(1)大陸は何万年もかけて移動している。
(2)現在の人類は原始的な動物種から進化した。
(3)地球の中心は非常に高温である。
(4)我々が呼吸に使う酸素は植物から作られた。
(5)すべての放射能は人工的に作られたものだ。
(6)宇宙は巨大な爆発で始まった。

など10問ですが，日本の順位は下から3番目という驚きの順位でした。首位はデンマーク。そしてイギリス，アメリカ，フランスと続きます。

PISAの推移からも分かるように，日本の15歳の科学知識レベルは常に世界の上位にあります。しかし，大人になるとこのような状況です。

また，この成人の調査で「新しい科学的発見」に対する日本の関心の度合は，14カ国の中で最下位。「新しい技術や発明の利用」への関心も低い方から2番目でした。このような状況下で，基礎的な学力が真に身に付かない今まで通りの教育だけではいけないことが分かります。

主体的・対話的で深い学びはもちろんのこと，学びが生活や将来につながっていく学習形態が求められています。そこに目指す「追究型学習」があるのです。

3.「PISA2018」から見える新たな懸念

2019年12月にPISA2018が公表されました。今回のPISAでは，日本は読解力において前回より順位を大きく落としました。その要因は明らかになっていませんが，専門家は，「日本の子供はパソコンを使ったテスト形式に不慣れ」「紙の筆記テストに慣れ，重要となる部分に線を引いて思考を深める傾向があるが，パソコンではそれができず，戸惑うケースが多かった」とみています。

同時に，**インターネットのサイトから必要な情報を探し出したり，情報の正しさを見極めて対処法などを自由に記述したりする解答率が低かった**のです。

日本では選択式問題のテストが多く，記述式が苦手な生徒が多いと指摘されてきました。やはり今回のPISAでもそれが浮き彫りになった形です。

しかし，問題はこの点ではありません。これまでの反省内容は，**「学ぶ意味合いや生活に生かされる学び」だったはず**です。単に学びがテストや受験のためではないことは今後も同様で間違いはありません。これまで文科省が進めようとしてきた学ぶことの意味を踏まえた学習をもっと進めるべきです。

一方で「記述が苦手」であるという全体的な傾向に対して新たに応急的な対策(学習)をとることは，控えなければいけません。

今回の新学習指導要領は，学習の在り方に強い示唆を与えています。受験勉強とかテストのためだけではなく，生活や将来につながる学習がより一層大切になります。大きな表題は，**「生きる力，学びの，その先へ」**となっています。

私は，少なくともこれまでの教育で見落としていたと思われる「結果的な記憶の定着度」にあり，**「学力が何のためのものか」うまく伝えられてこなかった**ところに課題があると思っています。

PISAやTIMSSから見取れる学力として日本は知識・理解に関する成績は長年上位クラスですが，その学力の必要性は真逆です(P13・P14表参照)。この傾向を受け，これまで以上に教育現場では，学習することの意味がより一層求められます。

不易と流行。これまで通り大切なことは大切にしながら，改善の道を進んで行かなければなりません。PISA2018の結果は読解力の低下もありますが，数学的リテラシー(知識，応用力)，科学的リテラシー共に世界上位であることは間違いありません。

そして現在でも，「Students value[6]」の質問紙平均値が参加国最下位にあったことの解決には，ほとんど至っていない中で，今回の「読解力不足」という反省に全面的にシフトするのではないかという懸念があります。

やるべきことは，まだ残されています。「ICTが不十分であること」「読解力が悪くなったこと」は結果としてあらわれていますが，今もなお一層必要なことは，**「学習する意味」をしっかり教える学習**です。「Students value」の解決なくして，次の段階へスムーズに進むことはできません。

4.「使いこなせる生きた知識」へ

「知識」とは，広い意味で「知ること」です。学校だけでなく，様々な場面で私たちは「知ること」を行っています。しかし，使っていない知識は思い出せないどころか，全く記憶に残っていません。あなたにもそんな経験があることでしょう。

巻頭で述べたように，例えば，自分の携帯電話や職場の電話番号を簡単に言える人は，普段から使って出力(アウトプット)しているからです。普段使われない数字の羅列を記憶している人は少ないでしょう。

「in put(インプット)」した事項を「out put(アウトプット)」する活動が記憶の定着につながります。アウトプットには，思考力・判断力・表現力の能力も必要とされます。アウトプットされることで「使える生きた知識」に変化していくのです。

では，１単位時間の学習の中で，どれだけアウトプットする時間や活動が確保されているかが記憶定着のカギになるのかと言えば，それだけでは足りません。

学校の授業で，アウトプットしてしっかり覚えても，その後，その知識が使われなければ，簡単に忘れてしまうからです。

忘れないためには，授業以外でも，ほんの少しであっても繰り返しアウトプットされる工夫や学習の意味付けがなければなりません。そのためには普段の学習を生活や将来に結び付ける必要があります。授業の振り返りの場面(＝リフレクション)で今日の学習が生活や将来につながっていることを子供が実感できる設定をすることがその決め手となります。

例えばリフレクションによって学習を生活や将来につなげていれば，普段の生活の中で「こうした方が正確にできる」とか「この方がはやくできる」など学びが実生活で活用されるため，学んだことを忘れなくなるのです。

学びと生活を結び付けることができれば，時々であっても，生活の中で知識がアウトプットされていくことにつながります。その知識に必要性を感じたり，知識を使いこなすよさを味わったりすることを普段の生活で実感できるように授業で仕向けることが必要です。

本来の「知識」そのものとして，様々な専門的内容を詳しく知っていることも大切ですが，その情報や内容に到達できる思考や技術は，今の時代背景からしてさらに大切です。

珍しい植物（例）

例えば，右のような，ある見たこともない珍しい植物の写真があったとします。また，その植物の名前や生息地・水やりの仕方も分かりません。このような場合，ネットで調べてもすぐには解決しないことがあるでしょう。しかし，根気強く多様な検索をし，名前のみならずその生息状況まで突き止める人もいます。そして実際に探したり，育てたりしてみるなどといったことができれば，これも同様に「使いこなせる生きた知識」となって生活の豊かさにつながっていくのです。

学校全体での全教科等の授業で子供が自らアウトプットする活動をより多く積み重ねると，「**生活の中で壁(困難)に当たったとき，様々な方法で力強く乗り越える人間**」へと成長していきます。

「任せるところは任せる」「自力で解決させる」このような教師の関わりが，力強く生きていく人間性を育むのです。これはまさに，基礎的・汎用的能力の育成そのものであり，キャリア教育の目指す方向と一致しています。

直接，教科の内容そのものを学び，練習問題を繰り返したり，教科書や資料を必死に暗記したりする学習を100パーセント否定するわけではありませんが，「何のためのもの」という観点から考えると「試験やテストのため」ということになってしまいます。「生活や将来に生かす」と考える子供は少ないでしょう。追究型学習においては，単元の中でどの時間を追究型にするか，練習型(習得，活用に特化した授業)にするかという単元のレイアウトを考えた計画設定を大切にしています。学習内容そのものを知識として教える場面はもちろん必要ですが，だからこそ「**忘れない使える知識」にしていくために追究型学習が**あるとも言えるのです。

5．キャリア教育と学力の関係

平成11年12月の中央教育審議会答申において，「キャリア教育」という用語が初めて登場して以来，20年以上の年月が経とうとしています。「キャリア教育」のあるべき姿について，現在では正しい理解がなされ，全国で具体的な実践が次々に行われていることが各種研究会，テレビ・新聞のニュースなどからよく分かります。

【キャリア教育は賢い人を創る……！】

「キャリア教育をしっかり行ったら，頭がよくなり，成績が向上した。」

全国中学校進路指導・キャリア教育連絡協議会で，全国の各都道府県のキャリア教育研究会長の方々が理事会で口々に述べていた内容です。平成27年のことでした。多くの方々が実感している事柄ではないでしょうか。キャリア教育とデータでその関係を示すのは難しいですが，キャリア教育の目指す方向とその取り組み方によって学力が違ってくることを次ページから説明します。

キャリアとは「轍」を意味します。その轍が将来や生活につながっていることを，全教科等で小学校または乳幼児期から関わらせる取組がキャリア教育です。ここで改めて押さえておきたいのが，「進路指導[7]」の在り方です。「進路指導」について，平成20年学習指導要領総則では，「進路指導が生徒の生き方指導である」「進路指導が勤労観・職業観を育てるキャリア教育の一環として重要な役割を果たす」「進路指導は学校の教育活動全体を通じ，系統的・発展的に行っていく」「進路指導は保護者の理解と協力〈中略〉地域社会及び関係機関と連携」等の記述説明がありました。遡ること，平成16年の国研資料[8]『児童生徒一人一人の勤労観，職業観を育てるために(報告書)』では「進路指導」について当時，次のような説明がありました。「進路指導は，生徒が自らの生き方を考え，将来に対する目的意識をもち，自らの意思と責任で進路を選択決定する能力態度を身に付けるよう指導・支援すること。」この説明が元となって「進路指導」は中学校・高校の「生き方指導[9]」や「出口指導[10]」という色彩が強くなったのでしょう。

平成23年中教審では「進路指導のねらいは，キャリア教育の目指すところとほぼ同じである」と述べられています。これまでの進路指導の基本的な考え方は次のように説明されています。

「単に高校卒業時にどの学校・職場に行くかを指導するだけではなく，『生徒一人一人の進路設計への援助』を目的とする。〈中略〉進路指導は，卒業する時に単にどの学校へ進むかを指導するだけではない。何に価値をおいて，将来どんな職業を選ぶか。そのためにはどの学校でどんな学問を学べばよいのかを小学生の時から少しずつ考えさせることが大切である。」

やはり，現在のキャリア教育の概念に通じるものがあります。

文部科学省教科調査官の長田徹先生によると，「キャリア教育」の「轍」は，後にできる「轍」だけではなく，将来につながる「轍」を指しているそうです。また「ふるさと教育＝キャリア教育」であるとも述べられています。新学習指導要領では，「学校で学んだことが，明日，そして将来へ」つながるとし，「生きる力」を前面に押し出しています。

キャリア教育と学力の関係に期待されることは，「学力」をどう捉えるか(少なくともペーパーテストのみではない)は別として，**基礎的・汎用的能力の育成を全教科で行い**，生活や将来につなぐことを繰り返していれば，結果的に「**より強い記憶の定着**」や「**思考力・判断力・表現力の能力の向上**」に向かい，キャリア教育の意識的取組による人間的な成長が期待できることにあります。

キャリア教育では基礎的・汎用的能力の育成をもとに，人間的な自立を目指しています。**追究型学習はキャリア教育を全ての授業で同時に行っていこうとする学習形態**でもあるのです。「活動あって学びなし」の活動のみの学習ではなく，学びを生活や将来に結び付けたキャリア教育は，様々な体験や活動から使える知識として定着させる技を身に付けていく学習でもあります。したがって，教科の内容そのものを繰り返し勉強するよりも，知識と技能のセット，知識と思考力・判断力・表現力を絡めた学習の方が遙かに学習効果が上がり，学力も向上するのです。

6．全教育活動で共通した取組の難しさの克服

キャリア教育という教科はありません。特別活動を要として，キャリア教育を全教育活動で推進することが，新学習指導要領でも示されています。

「追究型学習」は基礎的・汎用的能力の育成を目指す学習形態です。これは，キャリア教育に直結する取組でもあります。そこで，全教育活動で共通して実践できる内容を考えました。小学校では一人の教師が複数の教科をいくつも担当するため比較的，共通実践がしやすいところがありますが，中学校・高校では，教科担任制で教科毎に担当が分かれるため，教科の特性からくる学習の流れや学習方法に違いが見られます。

そのため共通実践にあたって，スタートの時点ではその難しさが先行してしまいます。はじめから「共通実践はできない」と考える教師もいるからです。

私自身は校長の立場として，共通実践とは授業の中で同じ事項の取組を同じく行うだけではないことを繰り返し説明しました。

本校でねらってきたのは，「基礎的・汎用的能力の育成」であり，そのアプローチの方法はそれぞれ違ってもよいことも確認してきました。

そのアプローチのひとつとして「リフレクション」を設定しました。「リフレクション」とは，「振り返り」に近い意味ですが，本校では，1単位時間の学習の中で，追究型でなくても必ず毎時間リフレクションに到達させるようにお願いをしました。さらにはこのことについて，教師集団の取組だけではなく，子供たちに，全校の場で十分な説明を行い「リフレクション」への理解とその必要性を繰り返し伝え，感じさせました。

「振り返り」は単なる「感想発表」ではなく，今行った学習が，生活や将来にどうつながっているかを考えさせたり，感じさせたりしなければいけません。P58ではリフレクションはどの教科等でも行えることを示しています。

結果として，リフレクションが全校生徒に浸透するまで多少の時間を必要としましたが，学習する意味合いを感じ始め，授業への集中度にも変化が出始め，教師集団もその効果に手応えを感じ始めていました。

まずは，できることから始めた「追究型学習」。最初に取りかかったのは，全教科での「リフレクション」でした。次の段階の取組は，「学習課題の引き出し」です。「追究型の学習課題」を子供から引き出すことは，なかなか行われてはいないのではないでしょうか。それは，教師が黒板に一方的に書けばすぐ済むし，その方が簡単だからです。

学習課題を引き出す際，写真や絵，グラフなどの資料を見せ，時間をかけて意図的に学習課題を引き出すには，教師のテクニックと十分な学習材の準備が必要になるため，はじめは敬遠されることもありました。しかしこの場合も，リフレクションの広まりと同じように，その効果を感じ始める教師が出てきました。

「自分で決めた学習課題は，与えられた課題より，遙かに学習意欲が高い」ということを

教師集団が感じ始めたのです。「確かに子供たちの食いつきが全然違う」という言葉も出始めてきました。

確かに効果はあると感じ始めた教師集団でしたが，「1単位時間の中でリフレクションまで到達させる学習展開」や「追究型の学習課題を子供から意図的に引き出すこと」については「結構難しい」とか「準備がたいへん」という声も出ていました。今まで通り，普通に，一斉授業をした方が「やり易い」とか「楽である」と考える教師もいました。

私は，一斉授業の方が「やり易い」とか「楽」というのは「不安なく授業できる」とか「手を抜きやすい」というように聞こえてしまいます。教科書を中心とした知識の伝達型の授業をなくす(少なくする)呼びかけを続けてきましたが，実際にこのタイプの授業がなくならない実態もありました。

ポイントは「何のための授業改善か」

単にテストの点数を上げるだけの目的でもなく，大学共通テストに対応するためだけでもない。学んだ知識が，生活や将来とつながっていることを捉えることで，使える知識に変化していく。「使いこなせる知識」に変化させる目的は，使いこなすことでより長い記憶となり，思考・判断・表現という流れに乗せるためでもあります。時代はすでに知識を使いこなしていく状況に入っているのです。

Society 5.0[11]の世の中へのシフトはそれほど遠い話ではありません。先を見据えた正しい方向性の授業改善が必要なのです。

実際，毎時間，追究型学習を行うのは大変なことです。特に普段から実践していない指導者は，多くの時間を要し，授業自体が効率よく展開できないことがあります。逆に，普段から実践している指導者は，いとも簡単に学習課題を子供から意図的に引き出し，追究する場面も活発です。

子供たちも積極的な学習を自ら行い，結果として，教え込みよりもよい成績をあげています。このことに気が付き始めた指導者(先生方)は次から次へと「追究型学習」を積極的に行い始めました。学習状況調査では，生徒アンケートにおいて，意欲に関する項目も極めて高い数値を示し，どの教科のテスト結果も数値が向上しました。

学習課題を子供から意図的に引き出す実践を繰り返し，そのスキルを身に付ける。

「成すことによって学ぶ」という言葉があるように，先生方は自ら「まず取り組む！」というスタンスで「追究型学習」を行い，指導者自身がその効果を感じ取ることができなければなりません。効果があると感じることができなければ，先生方の取組にも支障が出てきます。校長として，この時期の授業参観と適切な助言が大変でした。

「学習課題の意図的な引き出し」には，次のような一定の「条件」と「手法」があります。（第３章の「４」でも補足）。

【学習課題のスムーズな引き出し**条件**】	【学習課題のスムーズな引き出し**手法**】
1．意図的に学習課題に近づけるための写真・映像・絵・グラフ・表・読み物・音楽などが導入で準備されていること。 2．その具体物が，学習に適切な興味をそそるものであること。 3．学習課題を自ら設定するという学習形態を全教育活動で行っていて子供も先生も慣れていること。 4．追究型学習課題にならなくても，子供に今日はどんな学習課題になるか必ず毎回問いかけていること。 5．「○○のとき」とか「○○で」という**場面設定からスタートする学習課題の構造を常に教えていること。**	1．特定の個人が設定した学習課題を全体に問いかけて広めていく手法。 2．個人個人から引き出す場合，出てきた文言が全く文言が同じでなくてもよい。本質的に同じであればよい。 3．全体から拾い上げた言葉を少しずつ修正しながら，前もって構想した学習課題に近付けていく。 4．予め考えておいた学習課題と違う内容が出てきたときは，ストレートに「それはできません」「違います」ではなく，「いいね，今度考えてみたいね。」など，相手を尊重しながら，狙う学習課題に近付けていく。

このことを呼びかけ続け，２年目には，全教科等（特別活動も道徳も学校行事も含めて）全ての教育活動で「追究型学習」を全職員がしっかり取り組むようになりました。

当然のように子供たちの姿も変わり，活力のある姿になってきました。「任せるところは子供に任せる」というスタンスが伝わり，生徒自身が一斉指導に対して拒否反応を起こすようにさえなっていました。

前述のように，教師が「御膳立て」（前もって誰が何をするか決めておく）をして，レールの上を進む学習はやりやすいし，失敗がないのかもしれません。しかし，それには何の創造性もありません。

授業は劇ではない！

意外な反応が出てきたとしてもそれは，失敗ではなく，成功です。意外な反応から考えが広まり，学びが深まっていくのですから……。

【用語補足解説】

※１　基礎的・汎用的能力（P10）

主にキャリア教育で育成すべき能力であるが，基礎的で汎用的という性質上，様々な活動で育成することができる。大きく４つの能力があり「人間関係形成・社会形成」「自己理解・自己管理」「課題対応」「キャリアプランニング」に分類されているが，順序性があるわけでもなく，また均一に身に付ける能力でもない。これらの能力は相互に関連・依存した関係にある。平成23年までは「４領域８能力」という言葉が使われていたが，難解だった概念が「基礎的・汎用的能力」という言葉で分かりやすく転換された。

※２　PISA（ピサ）　Programme for International Student Assessment（P12）

OECDが進めている世界79か国・地域で３年に１回行われる国際的な学習到達度調査のことで，読解力，数学的リテラシー，科学的リテラシーの三分野がある。日本でも教育方針を策定するひとつの指標となっている。調査目的は「義務教育修了段階（15歳）において，これまでに身に付けてきた知識や技能を，実生活の様々な場面で直面する課題にどの程度活用できるかを測る」こととしている。

※３　TIMSS（ティムズ）　Trends in International Mathematics and Science Study（P12）

国際数学・理科教育調査と呼び，国際教育到達度評価学会（IEA）が行う小・中学生を対象とした国際比較教育調査である。

学校教育で得た知識や技能がどの程度習得されているかを評価するものであり，調査目的は「初等中等教育段階における算数・数学及び理科の教育到達度（educational achievement）を国際的な尺度によって測定し，児童生徒の環境条件などの諸要因との関係を参加国間におけるそれらの違いを利用して組織的に研究することにある」と定義されている。調査は４年毎に行われ，この国際的な調査結果を用いて各国の教育方針に役立てられる。

※４　成人の科学テスト（P12）／※５　科学基礎知識のテスト（P14）

文部科学省の科学テストとも呼ばれ，「成人の科学テスト」であるが，「科学基礎知識テスト」と同様のものらしい。日本は14ヵ国中12位で，新しい発見に対する関心度や知識の定着は最低であった。一方，「国際成人力調査」PIAACの調査結果は平成25年に出された。OECD（経済協力開発機構）の中での大学進学率は最下位であったが，PIAACの成人のスキルを評価する読解力・数的思考力などの調査結果では世界の上位に位置している。

※６　Students value（スチューデンツバリュー）（P15）

TIMSS（ティムズ）の質問紙の中の項目である。日本語では学習が「大切」とか「価値がある」とかになる。検査では３段階の質問になっているが，日本の結果は意欲面で理科が最下位である。

※７　進路指導（P18）

学校教育の一環として児童・生徒の進学や就職（主に卒業後）について指導・助言を行うことであり，「進路ガイダンス」などとも呼ばれる場合もあった。

中学校，高等学校，中等教育学校，中等部・高等部を置く特別支援学校には進路指導主事が必置とされ，校長の監督のもと生徒の職業選択の指導その他の進路の指導に関する事項をつかさどり，該当事項について連絡調整及び指導，助言に当たることになっている。

※8　国研資料（P18）

国立教育政策研究所から出される資料。国立教育政策研究所は，教育政策に関わる調査研究を行うために日本の文部科学省に置かれている研究所。

※9　生き方指導（P18）

キャリアとは「人が，人生の中で様々な役割を果たす過程で，自らの役割の価値や自分と役割との関係を見出していく連なりや積み重ね」である。キャリア教育では，幼少期から大人になるまで長期的展望に立って，校種間を貫いた生き方指導が求められている。そこには社会人，職業人として自立し，時代の変化に力強く柔軟に対応していく姿がある。

※10　出口指導（P18）

就職に向けての指導を，特に職業指導とも言う。また，従来の進路指導が，各学校における出口の指導に偏りがちであったことに対して，より広い視点で進路を考えさせる指導としてキャリア教育という概念が提唱され，現在では，「出口指導」という言葉はほとんど使われなくなった。

※11　Society 5.0（ソサイティ 5.0）（P20）

サイバー空間（仮想空間）とフィジカル空間（現実空間）を高度に融合させたシステムにより，経済発展と社会的課題の解決を両立する，人間中心の社会（Society）。

狩猟社会（Society 1.0），農耕社会（Society 2.0），工業社会（Society 3.0），情報社会（Society 4.0）に続く，新たな社会を指すもの。

これまでの情報社会（Society 4.0）では知識や情報が共有されず，分野横断的な連携が不十分であるという問題があったが，Society 5.0 で実現する社会は，IoT（Internet of Things）で全ての人とモノがつながり，様々な知識や情報が共有され，今までにない新たな価値を生み出すことで，これらの課題や困難は克服されると考えられている。

追究型学習で設定している「リフレクション」とは……？

「内省」という意味で訳されることもあります。「反省」とは違い，前向きな振り返りとしての使われ方もあります。

追究型学習では，**「生活や将来」への学びのつながり**を「リフレクション」で捉え，つなげています。**感想発表でもなく，授業のまとめでもない時間**を「リフレクション」として設定しています。「リフレクション」によって**今日の学習が実生活や次の学習にスムーズにつながっていきます。**短い時間での「リフレクション」によって，学習の意味が明確化され，学習に深まりがでてきます。

追究型学習の特徴である「リフレクション」は，上記のように，学ぶ意味を捉えるため，学習を生活や将来に結び付ける振り返りの時間になります。学習訓練と普段の積重によって，短時間で実践できるようになります。学ぶ意味を実感するこの活動が，学習意欲向上や学習の定着につながっていきます。

レッツ型の学習目標(「～しよう。」)では，一見，子供たちが活発に活動しているように見えますが，学習活動に深まりは出てきません。また学習意欲も持続しません。

テストや試験のための勉強が悪いということではありませんが，そのためだけではなく，学んだことが生活の中で生きて働くことが必要だと思います。使われる(出力される)知識は，長く頭の中に残っています。結果として，一斉授業よりも成績がよいのも事実でした。学習したことが使われる場面は，「いつ」か，「どこ」か分かりませんが，その場面は「生活の中」「将来」「次の学習」などにあるはずです。そうでなければ学習した意味がありません。

「『教わる』からの卒業」は「自ら困難を乗り越えていく人間」を求める学習形態であります。ぜひ実践し，その反応の違いを実感して欲しいと思いますし，同時に子供たちにも実感してもらいたいと思っています。

「レリバンス」という言葉があり，「学力」と「生きる力」の教育格差が厚生労働省からも示されています。学習が「自分に」・「仕事に」・「自分のビジョンに」役立つ，「将来に必要」ということを学習と仕事を関連付けて考える割合は，OECDの中で日本は最下位であり，社会生活や将来の仕事に対する教育の「レリバンスの希薄さ」があります。追究型学習で設定している「リフレクション」は「レリバンスの希薄さ」の有効な解決策になります。

第 2 章

追究型学習
の概要

『子供の未来を支える皆さまと共有したい　新しい学習指導要領』リーフレットでは,「学校で学んだことが，明日，そして将来につながるように……。」と書かれています。

つまり，学びが将来や生活につながることが求められているのです。学習したことが将来につながるためには,「学び自体が将来につながっている」または,「学び方を将来や生活に結び付ける」ことが条件になります。

「追究型学習」は,「＝『教わる』からの卒業」とし，内発的意欲を喚起させ，主体的に学習に取り組む形態で,「基礎的・汎用的能力」の育成を目標にしています。

特別な授業形態ではありませんが，いくつかのポイントがあります。第２章では,「追究型学習」の概要を「目的」,「キャリア教育との関係」,「基礎的・汎用的能力と関係」などの点から説明していきます。

「追究型学習」が全教科等(各教科・道徳・特活・集会・行事全ての学習)で実践できることは，これまでの取組から，すでに実証済みです。

「難しい(できない)からやらない」ではなく，私たち教師も「時代の変化」に先々と変化し，不易と流行を十分見極めつつ，教育を進めていかなければなりません。

１.「追究型学習」とは？

「追究型学習」とは，基礎的・汎用的能力の育成のための学習であるといえます。教科そのものを学習するだけではなく，学習することで，その学びが，どのように将来や生活につながっているかの振り返り活動(リフレクション)にポイントがあります。

この振り返り活動(以下「リフレクション」と表現)がなければ，学習の定着は極めて弱くなる可能性があります。「必要性のない学習」「受験やテストのための学習」「将来や生活につながらない学習」は目的が終了した瞬間から知識が剥落していきます。使われない知識は次々になくなっていくからです。

それを防ぐには，使われる知識が必要です。「追究型学習」では，内発的動機付け[1]を喚起することからスタートし，学んだことが将来や生活につながっていることをリフレクションで確認します。このことが記憶の定着の度合い向上や使える知識の意識化につながっていくのです。

第１章で述べたように,「ここはテストに出ますよ」とか「ここは大切ですよ」というだけの学習の進め方は，その場しのぎの学習で，意味のないものになってしまいます。どの教科であっても，いかに使いこなせる知識に向かわせるかが追究型学習の肝なのです。

2.「追究型学習」とキャリア教育との関係

ここで設定する「追究型学習」とキャリア教育との関係は密接なものです。

追究型学習では基礎的・汎用的能力の追究型学習では基礎的・汎用的能力の育成を通過目標にしています。授業の各場面で，

「人間関係形成・社会形成能力」　「自己理解・自己管理能力」

「課題対応能力」　「キャリアプランニング能力」

が相互に働き合いこれらの能力が育まれていきます。

追究型学習では，学習課題を生徒から意図的・誘導的に引き出す場面，個人・グループで「比較・検討」して追究していく場面，リフレクションの場面があります。

学習課題を引き出す場面は「自己理解・自己管理」と「課題対応」の能力育成に関係します。個人・グループで「比較・検討」して追究していく場面では「人間関係形成・社会形成」の能力がベースとなります。リフレクションの場面では学びを将来や生活と結び付ける活動を行うため，４つの能力全てが関係しますが，特に「キャリアプランニング」の能力が育成されます。

このことを踏まえて，キャリア教育は全教育活動で行うことを職員で確認し，全教科等で実践することにしてきました。

キャリア教育では，基礎的・汎用的能力の育成が大切になりますが，追究型学習では，これらの能力は普段の学習で培うことができるのです。

ただ普段の学習といっても，様々なパターンがあり，どんな学習でも基礎的・汎用的能力に迫ることができるわけではありません。極端な例を挙げると，知識の網羅的な伝達型の授業やテストのための練習や復習では基礎的・汎用的能力は育成されにくいのです。

追究型学習とキャリア教育とは全ての時間で関係性がありますが，学習の中のいくつかの段階で，次のように細分化されます。

(１)学習課題を意図的に引き出す段階

この段階では，写真や地図，グラフ，音楽などの資料や具体物，統計資料や読み物資料，既習事項などを使った様々な導入が考えられます。教師の意図のもと，学習課題を子供から引き出すことは教師も子供も慣れていないと容易ではありません。

しかし，学校全体で取り組むことで，子供たちはこの学習形態に慣れ，すんなりと学習課題を引き出すこともできるようになります。

この段階では何よりも，基礎的・汎用的能力の「課題対応能力」に近づきやすくなります。子供は自分で決めたことは，人に決められたことよりも頑張ります。内発的動機付け

がより高まる瞬間です。一方的に教師が提示した学習課題では，内発的動機付けの意欲はあまり期待できません。

(2)見通す段階

追究型学習における「見通す段階」は，学習課題が引き出されてからの場面です。学習課題を受け，「方法」と「結果」に見通しをもつことになります。

どのような「方法」で課題にアプローチして，どのような「結果」に至るのかを見通す訳です。その方法についてはP53に示す「数理的な処理のよさの観点」とリンクすべきですが，いくつかの観点をピックアップし「正しい方法か」「てきぱきできる方法か」とかに絞ってもよいでしょう。「結果」についての見通しはP70の視点と似ています。

【自分の考えを確認する視点】			
確かか？	正しいか？	分かりやすいか？	矛盾していないか？
可能性はあるか？	一般的か？	効き目はあるか？	見落としはないか？

授業時間は限られているので，深入りはせず，短時間で見通す学習訓練をする必要があります(学習に向かう姿勢ができればよい)。普段の授業での取組の繰り返しが，時間短縮につながり，さらに見通す活動がリフレクションにつながる学習への効果があらわれます。

児童生徒は実生活や実社会につながりのある具体的な学習活動や体験活動の方が，より意欲的で前向きな姿勢になります。

リアリティがあり，クオリティの高い教材提示と学習課題設定が必要

例え困難であっても，方法と結果におおざっぱでも見通しをもつことが大切であり，子供たちが見通しをもつ活動を繰り返すことが，基礎的・汎用的能力の育成につながっていきます。壁にぶち当たっても，その壁を乗り越えていこうとする力は，様々な方法で解決していこうと見通しをもつ段階から培われていくのです。

見通す段階では，主に基礎的・汎用的能力の「自己理解・自己管理能力」が培われます。

(3)追究していく段階

まず自分の考えをもつ場面をつくらなければいけません。多様な他者の意見・考え・立場を理解し，自分の考えを相手に正確に伝えるためには，その考えの根拠などを含め，自分自身の考えが曖昧であってはならないのです。

単に学習をして覚えて，身に付けていこうとするのではなく，人任せにしない態度や追究していこうとする態度を醸成することがポイントになります。

追究していく段階では，他者をリスペクトしながら考えを交わす関わりで特に「人間関係形成・社会形成能力」「課題対応能力」が培われます。「できた」「分かった」だけの授業形態では学力に個人差が生まれます。

自分の考えをしっかりもち，相手をリスペクトする。

（4）リフレクションの段階

リフレクションの段階では，全ての基礎的・汎用的能力に関わることになりますが，特に「キャリアプランニング能力」と深い関わりがあります。

リフレクションは，将来や生活と絡めて毎回行うようにしました。たとえ追究型の学習形態でなくても，リフレクションは毎時間行うべきです。リフレクションは，全体の場で発表したり，記述したりすることもあります。リフレクションは，短時間であっても，その効果は大きいです。

記述で蓄積したリフレクションを見ると，中には感想のような内容もあります。「感想は必要ない」と伝えていてもそうなってしまう難しいところもありますが，全体の場で発表し学習の中で継続してリフレクションを行っていると，次のような，明らかに生活や将来につながっている内容が増えてくることが分かりました。

「毎回行ったリフレクション」から【中学校家庭科のリフレクションシート】

1. 今年は家庭科で自立できるように自分だったらどうするかを考える。家で自分がやることを増やし，自立に近付けたい。
2. たまに，朝ご飯を食べない日があるので，ちゃんと食べて健康に生活できるようにしたい。
3. 中学生には，５大栄養素が大切だと分かった。これから５大栄養素を摂っていきたい。
4. 今日のすごく大切な言葉の「６つの基礎食品群」と「食品群別摂取量」をしっかり覚える。
5. 魚・野菜・肉の選び方が分かったので，買い物に行くときに活用したい。
6. 自分の考えをもって，授業の話合いなど参加したい。食べることの意味などみんなと一緒に考え合って生活していきたい。

※前述したように，「感想」もある。しかし，生活や将来につながっている内容も多くある。確かなリフレクションを継続するとさらに生活や将来との結び付く内容が増えていく。

さらに，この内容の一部はキャリア・パスポートに直接使えることが分かりました。

追究型学習ではキャリア教育を意識し，基礎的・汎用的能力の育成をめざした活動をしていますが，追究型学習自体がキャリア教育と同じ方向性で進めているため，リフレクションがキャリア・パスポートと自然に結び付いていくのです。

3.「追究型学習」の目的

「追究型学習」の目的は前述してきたように，より豊かな人間性を身に付け，より力強く生きていく人間をつくるところにあります。

手立てとして「内発的動機付けの喚起」「比較・検討・対話・実験・確認など主体的活動の設定」「学びを将来や生活につなげるリフレクション」「その過程での生徒指導の機能」なども挙げられますが，使える知識を目指しているため，また使いこなせる知識として記憶を蓄積していくため，結果として学力も向上します。実際，実践校では学力が非常に高い状況にありました。

再度目的に戻ると追究型学習を行っていく過程で，基礎的・汎用的能力がしっかりと育成され，「将来，壁にぶち当たっても，何らかの方法で個人または集団で乗り越えていく，たくましい人間性」を育むことを大きな目標と考えています。

テストや試験のためだけではなく，常に進化する生活の中で力強く生き抜く能力を育む学習形態が追究型学習ですが，その結果としてあらわれてくるのが学力の定着という現象です。

１～２日，授業で教わったことを記憶に止めておくのは，難しくないかもしれません。しかし，アウトプット(出力)されない限り，いずれは忘れ去ってしまいます。

特にインプット型の授業では，アウトプットしないと記憶は定着しません。また生活の中では生きて働かない知識なので，その知識を使うことが少ないのです。

追究型学習では，学びと生活・将来を結び付ける活動を授業のスタートから終わりまで意識しており，学びを実際に生活の中でアウトプットして使おうとする人間を目指しています。普段から使われる知識・使いこなせる知識は，記憶が長い期間定着します。また思考力・判断力・表現力の向上にもつながります。

目的はストレートな学力向上ではありませんが，実際に，これまで実践した学校では驚くほど成績が向上した実態があります。

基礎的・汎用的能力の習得は，人間的成長でもあります。そして人間的成長が学力向上にもつながっているのです。

【追究型学習の目的】

「生活の中で様々な困難を何らかの方法で自力・集団で乗り越えていく」

「より豊かな人間性を身に付け，より力強く生きていく姿勢をつくる」

4．「追究型学習」＝「教わる」からの卒業

学習意欲には様々な環境の違いやこれまでの生活によって個人差があります。

学習意欲の低い子供に「勉強しなさい」と言っても，学習意欲はわきません。

逆に学習意欲の高い子供に「もっと勉強しなさい」という働きかけはどうかというと，「黙っていても，勉強していたのに，やる気がなくなった。」というように，学習意欲の高い子供にも「○○しよう！」という働きかけはあまり効果的ではないでしょう。

つまり，学習意欲が高くても低くても「○○しなさい」「○○しよう！」は意欲が向上しないのです。それは，どちらも自分で決めていないからです。

子供たちは，自分で決めたことは頑張ろうとします。自分で決めたことには，内発的学習意欲が沸くからです。

そこには「教わるからの卒業」という発想があります。これは，子供も教師も同様です。まずは内発的動機付けを喚起させるスキルが必要で，しかも，先生が「できない」と決めつけないで，学習課題を意図的に引き出す場面を積極的に設定すべきなのです。

追究型の学習課題であっても，先生が一方的に課題を提示したのでは，内発的学習意欲は沸いてきません。

先生には，発問後に子供たちが考えている間は待つ・任せるスタンスが求められます。学習課題は，子供が主体的に活動することを目標にするための言葉でもあるのです。

「リベラルアーツ[2]」という学習形態があります。最初から最後まで学習者が討論し合う授業のことです。特にアメリカの有名大学で行われていますが，この授業の時，先生は黙って聞いて（評価して）いるだけです。この授業で鍛えられた学生は超一流の企業で企画・開発の仕事に就いています。この大学は，日本にも進出するそうです。

この形態を全て日本の学校で採用するのは不可能でしょう。しかし，この学習の形態ではなく，学習の発想は，部分的にでも取り入れて，学習を展開することはできるはずです。

改善すべきは，「先生が最初から最後まで頑張りすぎて，先生ばかりがしゃべっている授業」だと思うのです。

このタイプの授業はよく見かけますし，先生のステータスとしていることも少なくありません。しかしこれは「教えたつもり」の自己満足の授業です。

いかに任せるところは任せるか，が肝です。先生の仕事は学び方を学ばせるところにあります。ある一定のガイドをしたら後は任せるというスタンスも大いに取り入れるべきだと考えます。

そんなことをしたら学力が身に付かないという意見もあるでしょう。しかし教え込みや伝達型だけでは，真の深い学力は身に付かないし，知識だけではなく思考力・判断力・表現力も備わりません。また，「できた」「分かった」の授業パターンになれば，解答までのスピードやその学力に差が出はじめるのです。

これからの教育は

ジグソーパズル型からブロック型へ

●ジグソーパズルは答えが1つ。繰り返し
●ブロックはクリエイティブな（新しいものを創り出す）活動

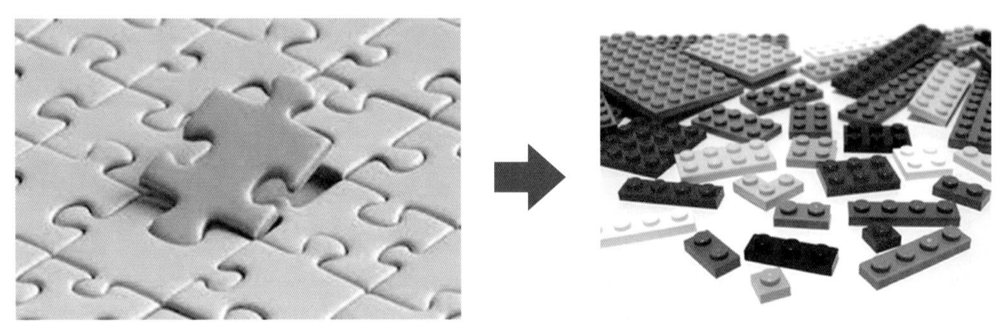

「教わるからの卒業」の本質は新しいものを創ったり，考え出したりするところにあります。

ジグソーパズル型であれば，答えは1つしかありません。ちょっと違っていても答えにはなりません。もちろんこの活動が全ていけないということではありません。しかし，このようなタイプの学習は，本質的に○×クイズのように深まりのない学習になっていきます。

一方，レゴのような組み立てて創り上げていくブロックは，答え（出来上がり）がクリエイティブで，いくつも出てくる学習につながります。

一見，学習課題を設定しにくく，学習のねらいが明確にならないように思えますが，例えば「ブロックで動物はどう創るとよいか」といった学習設定をしたならば，同じ課題で違うものが無限にできてくるのです。

さらに，ブロックを組み立てる側は，自分でその形を自由に決めることができる。その分，内発的動機付けが喚起できます。

また，教師側からすればクリエイティブな作業をしている過程を見取る（評価する）ことができます。もちろん，ジグソーパズル型でも作業過程を評価できますが，この型では思考力・判断力・表現力は評価しづらいのではないかと思います。評価のためだけではなく，ブロック型の授業発想は，意思決定（選択）の連続であり，基礎的・汎用的能力の育成に大きな効果があります。

このような発想を追究型学習では取り入れています。

5．基礎的・汎用的能力の育成との関係

1　人間関係形成・社会形成能力	多様な他者の考えや立場を理解し，相手の意見を聴いて自分の考えを正確に伝えることができるとともに，他者と協力・協働して社会に参画。コミュニケーション・スキル，チームワーク等
2　自己理解・自己管理能力	自分が「できること」について今後の自分自身の可能性を含めた理解に基づき主体的に行動。自らの思想や感情を律し，今後の成長のために進んで学ぼうとする力。
3　課題対応能力	課題を発見・分析・処理・解決従来の考え方や方法にとらわれない原因追究・課題発見・計画立案・実行等
4　キャリアプランニング能力	自ら果たすべき様々な立場や役割を踏まえて，情報を適切に取捨選択・活用しながら判断。学ぶこと・働くことの理解，多様性の理解等

この表中に示したように，基礎的・汎用的能力の育成と追究型学習は，本質的に同じ内容で同じ方向性です。追究型学習でこれらの能力をカバーしていることは，第２章の２でも説明してきました。ただこの基礎的・汎用的能力は，能力としてそれぞれが単一に存在するものではなく，相互に関わり合っている性質もあります。またその順序性があるものでもありません。

確かに言えるのは，追究型学習では，これらの基礎的・汎用的能力を意識して育成しているということです。

【用語補足解説】

※1　内発的動機付け（P26）

内発的に動機付けられている活動とは「その活動そのもの以外に何も明らかな報酬がないもの」である。つまり，内発的な意欲をもつ人は「活動そのものから得られる楽しみのためにその活動に取り組んでいる」,「おもしろいから学んでいる」となる。

その一方で，外発的に動機付けられている人は，活動そのものから得られる楽しみではなく，その活動の先にある報酬のために取り組んでいるとされている。

一般的に，学習などの高次の活動には，外発的動機付けよりも内発的動機付けの方が効果的である。その理由のひとつとしては，外発的動機付けは，その目的がなくなった時に活動への意欲が低下する可能性があるからである。テストがないと勉強しなくなったり，テストの点数を気にしてテストに出る範囲以外勉強しなかったりする。

内発的動機付けの源として重要だと考えられているのが「知的好奇心（epistemic curiosity)」と「自律性（autonomy)」である。自律性とは，自分が周囲の環境を効果的に処理することができ，自己の欲求をどのように充足するかを自由に決定できる（自己決定）を感じている状態のことである。

※2　リベラルアーツ（P31）

リベラルアーツという表現の原義や定義としては起源は古代ギリシアにまでさかのぼる。自由民と非自由民（奴隷）に分けられていた古代ギリシアでの「自由民として教養を高める教育」，それを学ぶことで一般よりも高度な教養が身に付くものを目的としていたのがリベラルアーツである。欧米，とくにアメリカ合衆国では，おもに専門職大学院に進学するための基礎教育としての性格も帯びているともされている。

答えがない問題にどう対処するか。そこには「正解を求めてしまう」のも大きな問題になっている。

社会のありとあらゆる問題に様々な角度から立ち向かうことができるのがリベラルアーツの「学び」である。複雑化した現代社会では，ある特定分野の専門的な知識が求められる一方で，幅広い知識を身に付け，異なる考え方やアプローチ方法が理解できるような総合力が必要とされている。リベラルアーツは様々な学問領域を自由に学ぶことで，実社会で活躍し豊かな人生を送ることができる総合力のある人間の育成を目標としている。

第 3 章

追究型学習

の実際

追究型学習によって，全ての教科，特別活動，総合的な学習の時間，学校行事，そして，地域行事などの中で，子供が主体となって活動することや活動ができるようにすることをねらってきました。

追究型学習＝「『教わる』からの卒業」は，学習意欲向上と主体的学習を堂々と行う人間性を求め，結果的に学習の強い定着にも迫っている。

ただし，この学習形態には注意が必要なポイントもいくつかあり，その理解も必要です。

学習への微妙な取組の違いが，大きな違いになり，効果をより上げることを理解してほしい。

それを踏まえ，この章では，次の内容を説明していきます。

- 追究型学習そのもの
- 追究型学習をする前のベース
- 生徒指導の機能の大切さ
- 追究型学習課題の構造
- 追究型学習課題のつくり方
- リフレクションの効果
- リフレクションの在り方
- まとめとリフレクションの関係
- キャリア・パスポートとの関係
- 単元のレイアウト
- 単元の評価計画から構造図へ
- 実際の追究型学習の紹介

まずは，自力解決。そして基礎的・汎用的能力の育成に迫ります。説明のし過ぎやヒントの出し過ぎは禁物です。自力解決した後，多様な他者の考えを柔軟に捉えていく。最終的には生活や将来に学びを結び付け，力強く生きる人間形成に迫ります。

ここに提示するのは実際に「追究型学習」を全教育活動で行ってきた秋田県大館市立第一中学校での実践内容を中心とした実践例です。第一中学校などで設定してきた「追究型学習」は，学びを生活や将来に直接結び付けるところに特徴があります。

- 自己の生き方を含め学習に見通しをもつ学習課題を自分で設定すること
- 自力で追究していく場面
- 学習したことをどう生活や将来に結び付けるかというリフレクション

これらの実践が基礎的・汎用的能力の育成につながっていきます。

【資料1 研究構造図】

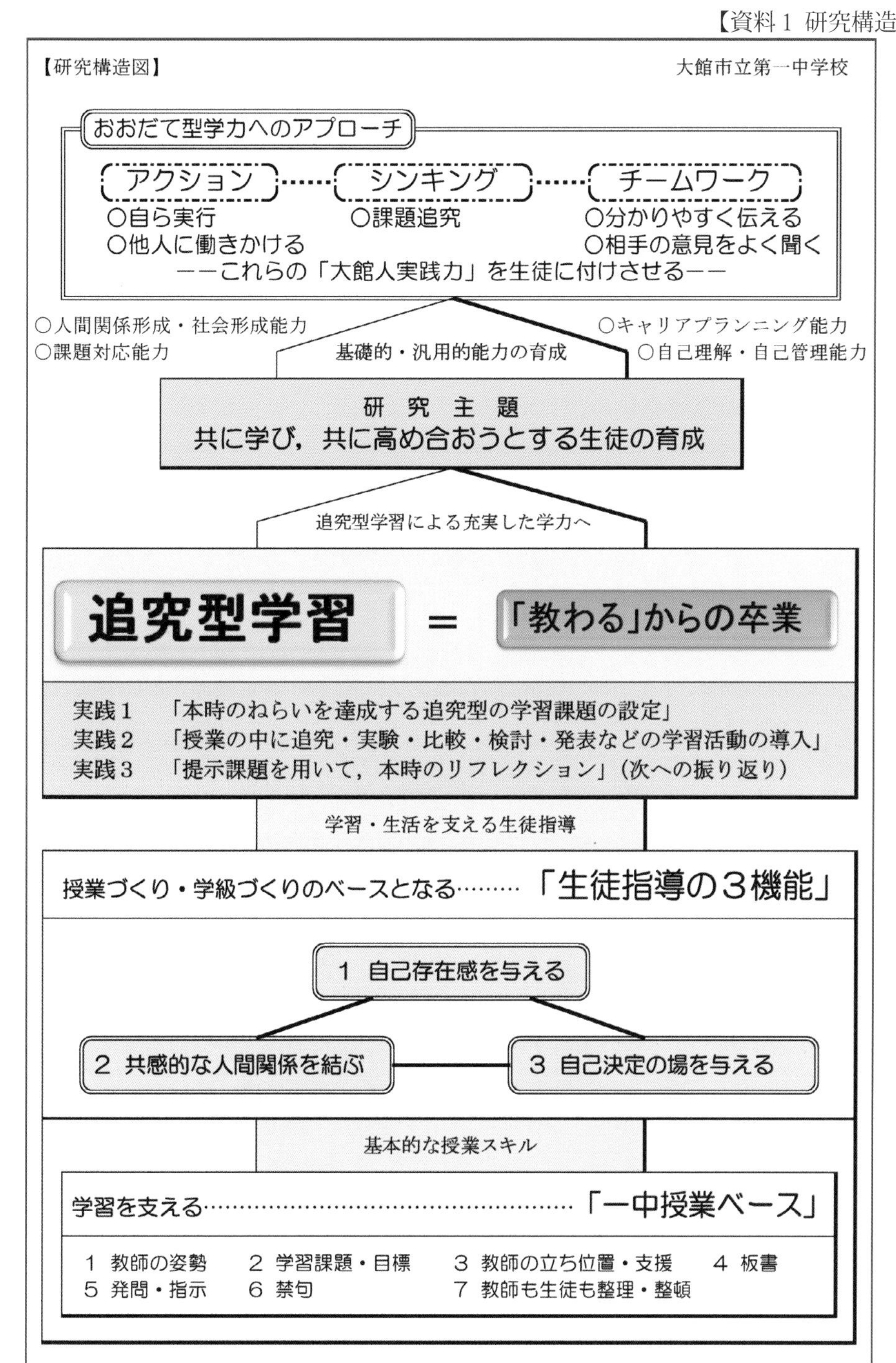

前ページの研究構造図(資料１)は，「追究型学習」を全校そして全教科等で実践していくために図式化したものです。簡単に説明すると次の通りです。

上段には「おおだて型学力[1]へのアプローチ」を設定しています。

秋田県大館市は，「おおだて型学力」として，

「アクション」 ………… 主体的に学びに取り組む学習。

「シンキング」 ………… 課題を見付け，考え抜く力により解決を図る学習。

「チームワーク」 ……… 集団で学び合い，全員がゴールへ到達する学習。

をもとに「未来大館市民[2]」を目指している。

その過程でキャリア教育やふるさと教育の理念に基づいた教育活動を行うこととしています。これは新学習指導要領に沿った目標・内容で「大館ふるさとキャリア教育[3]」として掲げています。「追究型学習」は，「おおだて型学力」と同様に基礎的・汎用的能力の育成を求めており，大館市の目標にぴったり合っています。

中段は，「追究型学習＝『教わる』からの卒業」として，実践１～３を掲げています。追究型学習では，この３点を集中的に行うことを確認してきました。

実践１「本時のねらいを達成する追究型の学習課題の設定」
実践２「授業の中に追究・実験・比較・検討・発表などの学習活動の導入」
実践３「提示課題を用いて，本時のリフレクション」(次への振り返り)

実践１について，単なる学習課題ではなく，「この学習をどう将来や生活と結び付けることができるか」という追究型学習課題を設定できるよう，次のように示しました。

【学習課題の構造】

【前提条件】○○のとき，○○で，
【関わり条件】どのような○○が，
【性質・特徴・実態】どんな……のだろう？

(他にも○○を感じさせる・○○よさがある・○○現象をつくる・
○○を分からせる・○○が有効になる・○○を伝えられる　など)

下段は，生徒指導の３機能を全ての教育活動に生かすことです。その下段は授業の基本的なスキルとして上げています。追究型学習では実践２で実質的な追究活動を行うため，「生徒指導の３機能」と「授業ベース」が徹底されていなければなりません。

1.「追究型学習」の授業ベース

「追究型学習」を進めるにあたって，次のように「授業の当たり前＝授業ベース」を確認しました。

教師サイド授業ベース

【教師サイド】 生徒の学力向上に向けて

1　教師の姿勢

○笑顔で元気……………………………………▲暗い雰囲気、声が小さい
○生徒の顔をよく見ている…………………▲教師自身のペース
○分かりやすい言葉遣い……………………▲一本調子
○生徒とのやりとりがある…………………▲一方的、生徒の進度を未把握
○学習意欲の沸く雰囲気である……………▲学習意欲を失わせる授業

2　学習課題・目標

○学習課題が授業中に示されている………▲ねらいが明確でない　いつも目標
○何の授業か分かる・見える………………▲知識の網羅的な伝達
○ゴールに向かえる課題である……………▲単元を消化する授業
○覚えるポイントを押さえている…………▲家庭学習（予習）を当てにする

3　教師の立ち位置・支援

○全員を見渡せる位置
○活動にあわせて立ち位置を変える
○生徒の発言場所から全体に聞こえる向きに教師が立つ

4　板書

○丁寧で見やすい文字……………………………▲乱暴・よく見えない
○計画的で学習の流れがある…………
○興味・関心が沸く工夫がある………　…▲知識や問題の羅列
○生徒の思考の手助けとなっている…

5　発問・指示

○思考を促す発問である………………………▲一問一答式
○全体に問いかけている………………………▲一部の生徒の反応で進む
○明解な「問い」である………………………▲どう答えればよいのか
○計画的で意図的な発問である……………▲何を答えればよいのか
○聞き取りやすい声の大きさ・スピード

6　禁句

………………「分からないの」「分かるよね」「また間違えた」

OK………「間違え方がいいね」「間違えてもいいよ」「なるほど」「そうかー」

※「**教えたつもりの授業**」から「**全体の反応をゆっくりと把握する授業**」へ，明確な意図のもとに授業を展開する。
※宿題を大幅に減らし，自学を増やしていく。（学び方を教える）

【生徒サイド】

真の学力向上に向けて

1　生徒の姿勢　「教わるからの卒業」

○５０分で勝負……………………………………▲分からなければ後で聞けばいいや
○積極的に発言・反応　……………………▲話を聞いてノートを書くだけ
○大きな声であいさつ　……………………▲声が小さい
○まっすぐピンと挙手………………………▲手が曲がっている，力強くない

2　話す

○(話型で)話し合いをつなげる　…………▲一人の発表で終わる
○伝えることを意識した分かりやすい説明▲書いていることを全部読むだけ
　(途中で区切ったり確認したりする)
○多数発表　……………▲同じ人だけの発表
○注目をさせてから発表　…………▲単に先生とのやりとりになっている

3　聴く

○発表者に体を向けて聴く　……………　▲黒板やノートや先生を見ている
○あ・い・お・ふうん反応　……………　▲ただ聞いているだけ
○うなずいて聴く　……………　▲ただ聞いているだけ

4　書く

○課題は赤，まとめは青で囲む……………▲ただ黒板を写しているだけ
○丁寧で見やすい文字………………………▲乱雑・後で見ても分からない
○自分の考えや意見を必ず書く……………▲友達の発表を待ち，人まかせにする

5　リフレクション(振り返る)

○学習課題に対する振り返りをする………▲感想や決意だけで終わる
　「今日の授業が『将来』や『生活』にどうつながっているか」が基本
○次の学習にどう生かせるか………………▲今分かったからこれでよい

自ら学習に意欲をもち，家庭でも自学を進める

教師だけでなく，生徒サイドからも授業の約束として「授業ベース」を設定しました。「○(理想的な姿勢)」と「▲(改善すべき姿勢)」で，普段から傾向のある内容を対比する形で明記しています。内容は「追究型学習」そのものではないが，「追究型学習」を進める大切なベースです。

2.「追究型学習」と「生徒指導の機能」

追究型学習のベースのもう一つは「生徒指導の機能」です。生徒指導の機能を全教育活動で生かし，生徒が伸び伸びと活動する学校を目指してきました。ここでいう生徒指導とは，次に掲げる積極的な生徒指導(がんばる気持ちにさせる支援)であり，次の３点を機能させることが大切です。

【生徒指導の機能について】
「一人一人の個性の伸張を図りながら，社会的な資質や能力・態度を育成し，さらに将来において社会的に自己実現ができるような資質・態度を形成していくための指導・援助であり，個々の生徒の自己指導力の育成を目指すものである。」(生徒指導提要[4]より)

【生徒指導の３機能】
1．児童生徒に自己存在感を与える。
2．共感的な人間関係を育成する。
3．自己決定の場を与え，自己の可能性の開発を援助する。

これらが学習の中で機能することが追究型学習の条件になります。生徒指導の機能は学習や生活の中でこそ生かされなければなりません。

授業の中でどのように機能させればよいのかは，次の通りです。

生徒指導の３機能を追究型学習で生かす具体例（子供と教師，子供と子供）		
自己存在感を与える	共感的人間関係を結ぶ	自己決定の場を与える
○発問後の指名をゆっくり待ち，全ての子供に発表の場をつくる。 ○子供の考えのよさを認め，誉める。 ○誤答であってもがんばりを誉める。 ○机間巡視で，全ての子供に声かけをする。 ○一人一人がもつ個性を認め合う。	○互いに相手の発表をうなずきながら聞き，共感的に受け入れる。 ○子供に励ましや賞賛の言葉をかける。 ○違う意見や誤答を学習の中で生かしていく。 ○発表者の方向を向いて真剣に聞く。 ○他の人の意見もリスペクトする。	○学習課題を自分で決めさせる。 ○自力解決の場面を大切にする。 ○自ら比較・検討・実験等の活動を行い，自分の考えをもたせる。 ○自分の考えをまとめて発表する。 ○リフレクションで学習を生活や将来と結び付ける。

授業は毎日５～６時間ほど行われるものであり，生徒指導の機能を毎時間意識して授業を行うその効果は非常に大きいものです。

生徒指導の機能が十分機能すると学級が**受容的で温かい雰囲気**に変化します。「間違えた発表」「違う意見」でも，回りの集団が相手を尊重し，共感しながら聞く状態であれば，嘲笑ったり，無視したりすることは全くなくなり，誰もが安心して発表できる環境に変わっていきます。

ここに，生徒指導の機能と追究型学習との密接な関係があります。追究型学習では，様々な内容や事象を比較・検討したり，互いの考えや意見を聞き，それに繰り返し応えたりなど，自力解決と集団の中で学力を高めていく大切な場面があります。この場面では，共感**的で温かい人間関係が築かれた集団**であることが，学習効果をより上げていくことになるのです。

生徒指導の機能は前述の３つとは限りません。しかし，

自己存在感を与えること
共感的な人間関係を育成すること
自己決定の場を与えること

という３つの内容は，生徒指導の基本であり，授業の中で十分機能させられることもあります。普段からこれらの機能を意識しながら授業を進めていくと，子供と子供，子供と教師の関係が大幅によりよく向上します。

授業づくりの基盤には，このような機能が必要であることは間違いありません。とは言え，発表があれば追究型学習というわけではありません。頭の中に答えや自分の考えが浮かんでいても発表しない子供もいます。またそもそも，発表することが目標ではありません。発表はあくまで手段です。

少人数の中であっても本質的に話し合いや意見交換が行われることの方が大切です。子供たちが安心して話し合える環境づくりには，一人一人の人間関係づくりがベースになります。まとまりのない集団でも**教師の関わり方次第**で受容的で温かい集団に変化していきます。日ごろから一人一人の個性を尊重していけば，集団は共感的で受容的な雰囲気に変わります。

生徒指導の機能が機能している集団
共感的な人間関係の中での討論

受容的な手段の中では，**一人一人を尊重しゆっくり待ち続ける**と，より多くの子供が堂々と発表や話し合いをするようになります。

スムーズに話し合いができる人間関係が追究型学習に非常によい影響を与えるのです。

3．「追究型学習」の学習課題の設定が肝

学習課題の設定は，第２章でも少し触れた内容です。授業の中で学習課題が設定されることは珍しいことではありません。

しかし，授業を度々参観すると，学習課題なのか，学習目標なのかよく分からない状況を目にすることがあります。例えば「～しよう！」という語句を「～だろう(か)？」と変えるだけで，学習課題としての文章になってしまう文章がよくあります。

例えば次のような場合があります。

A「○○はどうなるか考えよう！」

B「○○はどうなるだろう？」

Bは一見，学習課題のように見えますが，学習目標です。Aと同じ内容であり，「？」(クエスチョンマーク)が付いているだけです。

また，Bの文章では理論的に「○○はこうなる」と分かったとき・解決したときに，学習は終了することになります。これでは，リフレクションまで到達することはできないため，追究型学習課題にはなっていないことが分かります。

追究型学習で求める学習課題は単に「？(クエスチョンマーク)」が付けばよいのではなく，意図的に引き出した課題で，授業の最後にリフレクション(振り返り)できる構造でなくてはなりません。

単に「？」が付く「～だろう(か)？」という学習課題が出され，活動でその答えが出て，学習課題達成という場合，答えさえ出ればそれで学習は終わりとなります。これでは学習に深まりはなく，学習がここまで進めばよいという到達目標と同じ状態になりかねないのです。

「追究できる学習課題」が「リフレクションできる課題」なのです。P45・P46の資料は校内で配布した校長通信です。「◎」で示す学習課題が追究型学習課題となっています。

この追究型学習課題設定のプロセスが授業者にとって一番難しい点でした。しかし，この課題づくりが上手くいけば，学習意欲も向上し，深まりのある学習に変化します。

このような学習課題設定のあり方は，新学習指導要領がねらっている内容でもあります。学びを生活や将来につなげるためには，本気の授業改善が求められます。

まずは，**学習課題を子供から導き出す**。

追究型でなくても導き出す取組継続を繰り返していくことから……。

4.「追究型学習」の学習課題の構造

【学習課題の構造】

【前提条件】○○のとき，○○で
【関わり条件】どのような
方法が　表現が
事柄が　現象が
考えが　対応が 等

【性質・特徴・実態】(どんな)……のだろう？
○○を感じさせる　○○よさがある
○○現象をつくる　○○を分からせる
○○が有効になる　○○を伝えられる 等

事前の課題作り（構想）と実際の授業でいかに意図的に学習課題を引き出すかという部分で教師の力量が必要になります。ただ「そんなことはできない」とか「難しいからやらない」とかの理由で避けていると，教師としての進歩や子供の生き生きした活動は遠ざかっていくことになってしまいます。

理論だけでは分かりづらいところもありますが，まずは成すことによって，成し遂げるスタンスが大切です。この学習課題構造をしっかりと理解し，自分や周りの教師集団が共通して何度も実践することで，何よりも子供たちの反応が変わってきます。児童生徒が自分自身で学習課題を設定するスタイルに慣れれば「今日はどんな学習課題を設定しようかな」という姿勢で授業に取り組むようになります。

この学習課題の構造は，全教科等で当てはめることができるし，その実践も全教科等で行ってきました。

この構造を当てはめにくい教科も確かにありますが，できないことはありません。最初は違和感をもつ先生方もいましたが，校内研修で繰り返し説明し，その後実践してみて，生徒の授業への食いつきが明らかに変わったことで，その有用性を理解し始める先生も少なくありませんでした。

「メタ認知」のような客観的な考え方で学習の側面から学ぶ意味を多面的に捉えることはなかなか難しいですが，実は慣れると結構簡単で，追究型学習課題の設定に非常に役立つ考え方なのです。

大館市立第一中学校 平成30年4月2日～ 特別号

校長通信

【メタ認知と学習課題の関連】
メタ認知とは自分の思考や行動を客観的に把握し，認識することですが，追究型の学習課題を意図的に設定するとき，指導者は，目標に向かう学習のアプローチの方向性を考える必要があります。その時，メタ認知の考え方で，自分(生徒)の認知行動を把握させることのできる学習課題の設定がポイントになります。学習は科学です。

○学習課題による「まとめ」と「リフレクション(振り返り)」への流れと違いについて・・・・ほんの少しの展開の違いが「追究型学習」を機能させます。

	学習課題の例	この学習課題からの「まとめ」【教師による確認】	この学習課題からの考えられる理論的な「リフレクション(振り返り)」
小学算数科	×「この台形の面積は，いくらになるだろう。」 △「この台形の面積は，どのように計算するのだろう?」 ↓	→(上底＋下底)×高さ÷２ →(上底＋下底)×高さ÷２が基本	→〇〇ｃｍ²である。 →このような(様々な)方法で計算できる。
	◎「この台形の面積は、どのような方法で求めればどんなよさがあるだろう？」 【〇印が「追究型学習課題」，◎理想型】	→(上底＋下底)×高さ÷２が基本	→この方法はより正確に計算できる。 →この方法はよりはやく計算できる。 →この方法はより分かりやすい。 →この方法は連続して応用できる。等 「数理的処理のよさ」
英語科	「大館と東京にはどんなよさがあり，どちらが住みやすいだろうか？」 ↓	→Ｉ think thatを使うと自分の考えを伝えられること	→大館が住みやすい。東京はうるさくて住みにくい。 →東京は都会で，何でもあり暮らしやすい。
	◎「大館と東京には，どんなよさがあるかキャリー先生に伝えるにはどうすればよいか？」	→Ｉ think thatを使う表現方法と文法等をチェック	→Ｉ think thatを〇〇のように使うと自分の考えを伝えられること Ｉ think that以外の方法でも伝えられないかな　等
社会科	「世界恐慌をどのようにして乗り越えたのだろう？」 ↓	→ブロック経済政策　関税の引き上げ　植民地化　公共事業　ファシズム　金輸出	→＝「まとめ」 (リフレクションに到達できない。リフレクションに無理がある。)
	○「どのような世界恐慌の乗り越え方が有効なのだろう？」	→上記と同じ	→平和的解決・政治的解決・世界全体的解決などがよいと思う。等
社会科	「なぜ，人口のかたよりは問題になるのだろう？」 ↓ ↓ ↓	→1975年(45年くらい前)と現在では，65歳以上の数が変わり，１人のお年寄りを１０人での補助が，今はほぼ一人での補助。　医療パンク。　国内総生産低下。　他国との競争。　町村の消滅	→＝「まとめ」 (リフレクションに到達できない。リフレクションに無理がある。)
	◎「どんなことが，人口のかたよりをつくるのだろう？」	→かたよりで〇〇〇という問題が起きている。上記の内容と同じ	→「どんな事象が，人口のかたよりをつくっているのか。」という視点。 少子化(→結婚しない男女・高齢結婚)　都会流出　等
音楽科	「ビバルディはどのような表現を考えたのだろう？」 ↓	→ヴァイオリン協奏曲の「四季」の１つ。繰り返しの表現で小川のせせらぎを表現。ソロヴァイオリンで高らかに華やかに小鳥の声を表現。嵐の表現。	→＝「まとめ」 (リフレクションに到達できない。リフレクションに無理がある。)
	◎「ビバルディのどのような表現方法が春を感じさせるのだろう？」	→上記と同じ	→イタリアの春は日本に似ていて，華やかに鳴く小鳥や小川のせせらぎなどから３つの曲の構成から，春を感じた。等

	学習課題の例	この学習課題からの「まとめ」【教師による確認】	この学習課題からの考えられる理論的な「リフレクション(振り返り)」
理科	×「塩酸と水酸化ナトリウム水溶液を混ぜると，どうなるだろうか？」	→塩酸と水酸化ナトリウムの性質が変化する。	→＝「まとめ」（リフレクションに到達できない。）
	○「塩酸（HCl）に水酸化ナトリウム水溶液（NaOH）を混ぜていくと，水溶液の性質やはたらきはどう変化するのだろうか？」 ↓	→塩酸の性質やはたらきは徐々に弱くなっていく。	→教師側からの誘導で，身近な生活・社会の視点につなげることはできる。
	◎「塩酸（HCl）に水酸化ナトリウム水溶液（NaOH）を混ぜたときの反応は，どのように利用（有効活用）されているのだろうか？」 【○印が「追究型学習課題」，◎は理想型】	→酸の水溶液とアルカリの水溶液を混ぜ合わせると，水素イオン（H^+）と水酸化物イオン（OH^-）が結び付いて，水（H_2O）をつくり，中和という互いの性質を打ち消し合う反応が起こる。	→ 視点②将来・未来，あるいは身近な生活・社会に到達できる。 →「中和の反応」について，既習の化学式やイオン式を活用しながら，生徒が考えられる。そして，リフレクションへもつながる。
英語科	×「食事の場面で，人にものをすすめたり，それに答えたりしよう。」 ↓	→Would you like 〜 ？を使うと人にものをすすめることができる。	→新しい表現を使って会話することができた。(生活や将来につながるものの，内発的学習意欲は低い。したがって次の学習意欲につながりにくくなる。
	◎「食事の場面で，人にものをすすめたり，それに答えたりするにはどのような言い方があるか？」	→上記と同じ	→食事の場面で，人にものをすすめたり，それに答えたりするには，いろいろな言い方があるんだな。
体育科	○「(バスケットボールで)速攻で相手チームから得点をあげるにはどのように攻めたらよいのだろう？」 ↓	→スペースをつくって，素早いパスを受け，さらに自分も素早いパスをすることで，得点力をアップできる。	→＝「まとめ」 （リフレクションに到達できない。リフレクションに無理がある。）
	◎「(バスケットボールで)素早い球回しをすることは，どんな影響があるのだろう？」	→上記と同じ	→バスケットボールだけではなく，普段の生活でも素早い動きをするなど，きびきびした動きをするとで，時間を大切にすることができる。

【追究型学習課題の構造】

【前提条件】		【関わり条件】		【性質・特徴・実態】	
○○のとき ○○の ○○で	どのような	方法が　表現が 事柄が　現象が 考えが　対応が　等	(どんな)	○○を感じさせる　○○よさがある ○○が有効になる　○○を伝えられる ○○現象をつくる　○○を分からせる　等	のだろう？

「学習目標」も「学習課題」も提示されていない	「学習目標」が提示されている	「学習課題」が提示されている	「追究型の学習課題」が設定されている	「追究型の学習課題を生徒から引き出し」設定している
1	2	3	4	5

【内発的学習意欲がわかない】←――――――――→【内発的学習意欲がわく】

※まずは，レベル3の段階を実践しましょう。「？」マークの付く学習課題を提示してください。慣れてきたら，学習課題を意図的に引き出す技を身に付けてください。

前掲の学習課題の一覧では，全ての教科等は載せていませんが，ここにある教科・単元だけでなく**全ての教科等の授業で追究型の学習課題に当てはめることができます**。

追究型学習課題の構造に当てはめる課題作りは，なかなか作りづらい教科もありますが，視点を変えると全教科等で必ず設定することができます。

そのためには，**いったん学習内容そのものから離れ**，その内容の側面を捉えるような発想が教える側に必要になります。単に教え込むのではなく，**内発的動機付けを喚起させる**工夫や**「メタ認知」のような発想**ができれば，追究型学習課題はできあがってきます。

場合によっては「答えがない」「答えがたくさんある」「答えが分からない」という授業や「答えがひとつであってもそのアプローチがたくさんある」授業にしていくことも考えなければなりません。

このとき「そんなことをしたら学力が付かなくなる」という疑問が出ることもあるでしょう。しかし，前掲した表にあるように，単なる疑問型の学習課題でも追究型学習課題でも，学習内容・展開は全く同じであり，押さえる内容も同じです。**違うのは「リフレクション」**です。

学習がリフレクションまで到達できるか，できないかは，学習課題の構造に原因があります。P45・46の表では「リフレクション」まで到達できない場合の学習課題も載せています。

また，学習課題自体が将来や生活につながっている設定が理想です。

適切な学習課題を設定した上で，この設定を子供から意図的に引き出す教師スキルが必要になりますが，普段から，また**学校全体で行う**ことによって，子供がこの学習形態に慣れていれば比較的容易に追究型学習課題を引き出すことができます。

繰り返しになりますが，**学習は最終的に生活や将来につながるべき**であり，そのために学習課題は設定されるべきです。

内発的動機付けを喚起させ，主体的に取り組むためには，生徒自身が「自分で決める形式」を導入段階で設定していくべきなのです。

しかし，**全てに関して子供に決めさせるのではありません**。写真や絵・グラフなどの資料や既習事項の想起などを活用しながら，本時の追究型学習課題を意図的に子供から引き出す・導き出すのです。

仮に追究型の学習課題になっていなくても，教師が一方的に設定する学習課題よりも，内発的動機付けにはたらきかけた導入段階は学習意欲にかなり大きな差を生みます。この意欲は実践した先生方が感じ始めた学習への「食いつき」のすごさにあらわれました。

資料の「学習課題の例」では，「◎」が追究型学習課題で最も理想的なもの，「○」は追究型ではなく，単に「？」が付いただけの学習課題を示しています。

最初から「◎」の追究型学習課題でなくてもよいのです。何はともあれ，まずは「○」の学習課題を子供から引き出す・設定することからはじめていただきたいと思います。

5．追究型学習課題づくりの演習

学習課題をどう設定しますか？

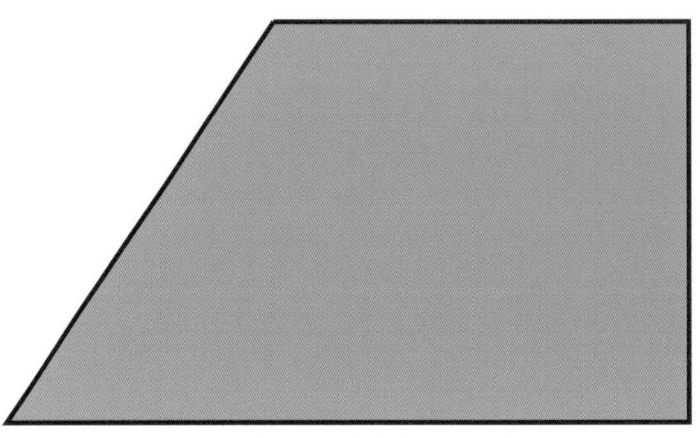

小学校　算数
台形の面積を求める学習

この学習は小学校５年生の内容ですが，追究学習課題を説明する上で分かりやすい内容であるため，この台形の求積の場面で説明していきます。

【演習】
前述のように，いかに学習課題を子供から意図的に引き出すかが肝ですが，ここでは，自分が授業者の立場で，前もってどのような学習課題を設定するかを考えてみてください。

【設定例A】

学習課題でない設定（学習目標）

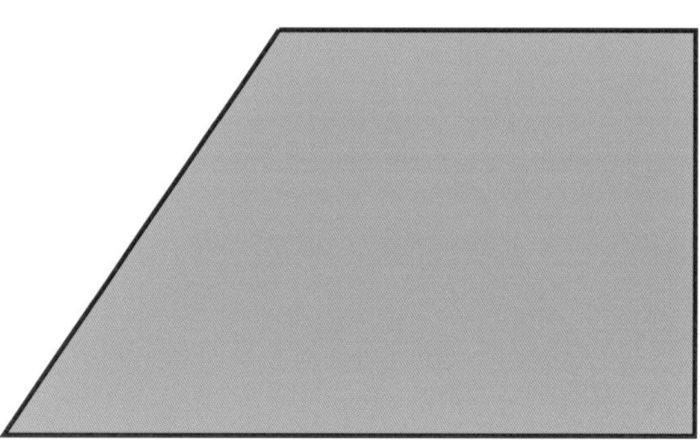

「この台形の面積を求めましょう！」

「この台形の面積を求めましょう！」
は学習目標です。

この学習目標は外発的学習意欲触発の効果しかもたず，
内発的動機付けでないため，学習意欲が高まりません。
また答えを出せば理論上終了の目標です。

【設定例B】

学習課題でない設定
（学習課題に見える学習目標）

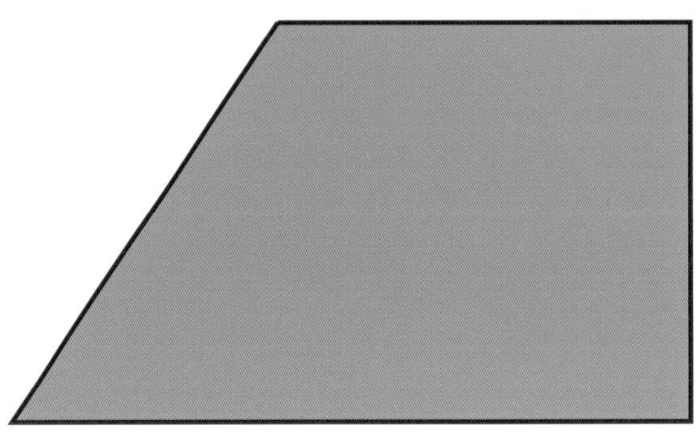

「この形の面積はいくらになるだろう？」

この学習課題は，
答えを求める学習であり，
答えは１つだけです。

学習の流れの中で，求積のプロセスを確認するとしても，
この学習課題では深まりが生まれません。

【設定例C】

追究型に近い学習課題設定

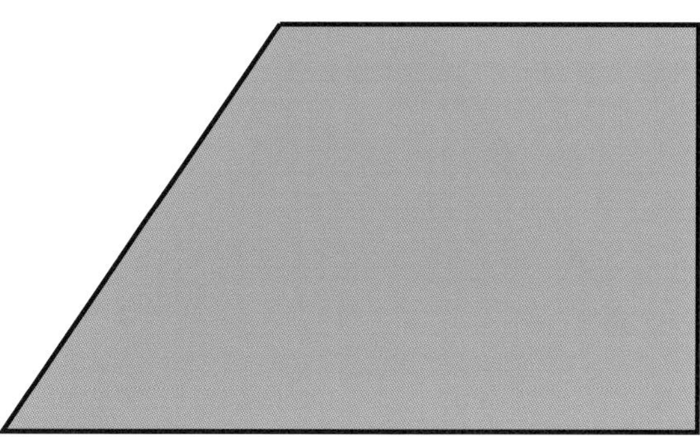

「この形の面積はどのような方法で求められるだろう？」

この学習課題は，追究型学習の第一段階です。

このような学習課題が子供から引き出されたならば，授業は面積をいろいろな方法で求める段階に発展していきます。しかし，生活や将来にはつながらない課題であり，「まとめ」の段階で終了する学習課題です。
「まとめ」は教師主導で公式とその応用確認を短時間で行い，押さえるところはきちんと押さえることになるため，リフレクションまで深めることができません。

【設定例D】
追究型学習課題設定

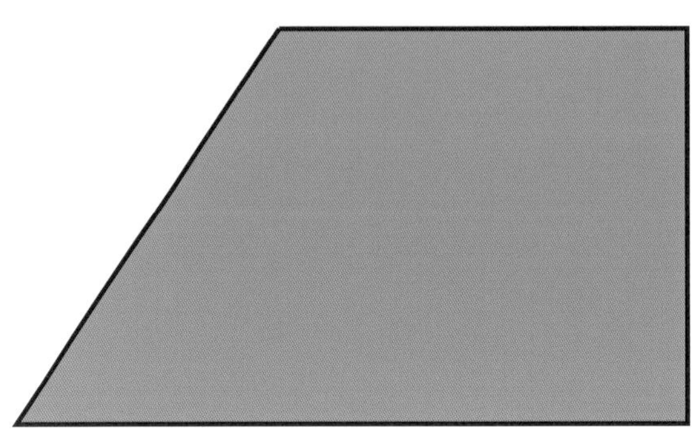

「この形の面積はどのような方法で求めると，どんなよさがあるのだろう？」

追究型の学習課題はこのような文章です。

「どんなよさがあるか」という，学習材のもつ性質の側面に視点をあてて考える課題です。メタ認知のような考え方です。この課題であれば生活や将来につながる，つまりリフレクションできる課題となります。

授業自体は，「まとめ」も含めて設定例Dの学習課題と展開・活動・内容は全く同じになります。しかし，設定例Dの学習課題はリフレクションには到達しません。

リフレクションでは，「ぼくはこの方法で素早くできる」「わたしはこの方法で正確にできる」「ぼくはこの方法で繰り返しできる」など，実際の活用＝生活につながる言葉が出てきます。

このような学習課題は，算数だけではなく，どの教科でもつくれることは実証済みであり，その一部をP45・46に掲載しています。追究型学習課題づくりにはP44の「構造」とP53の「観点」を参考にしてください。

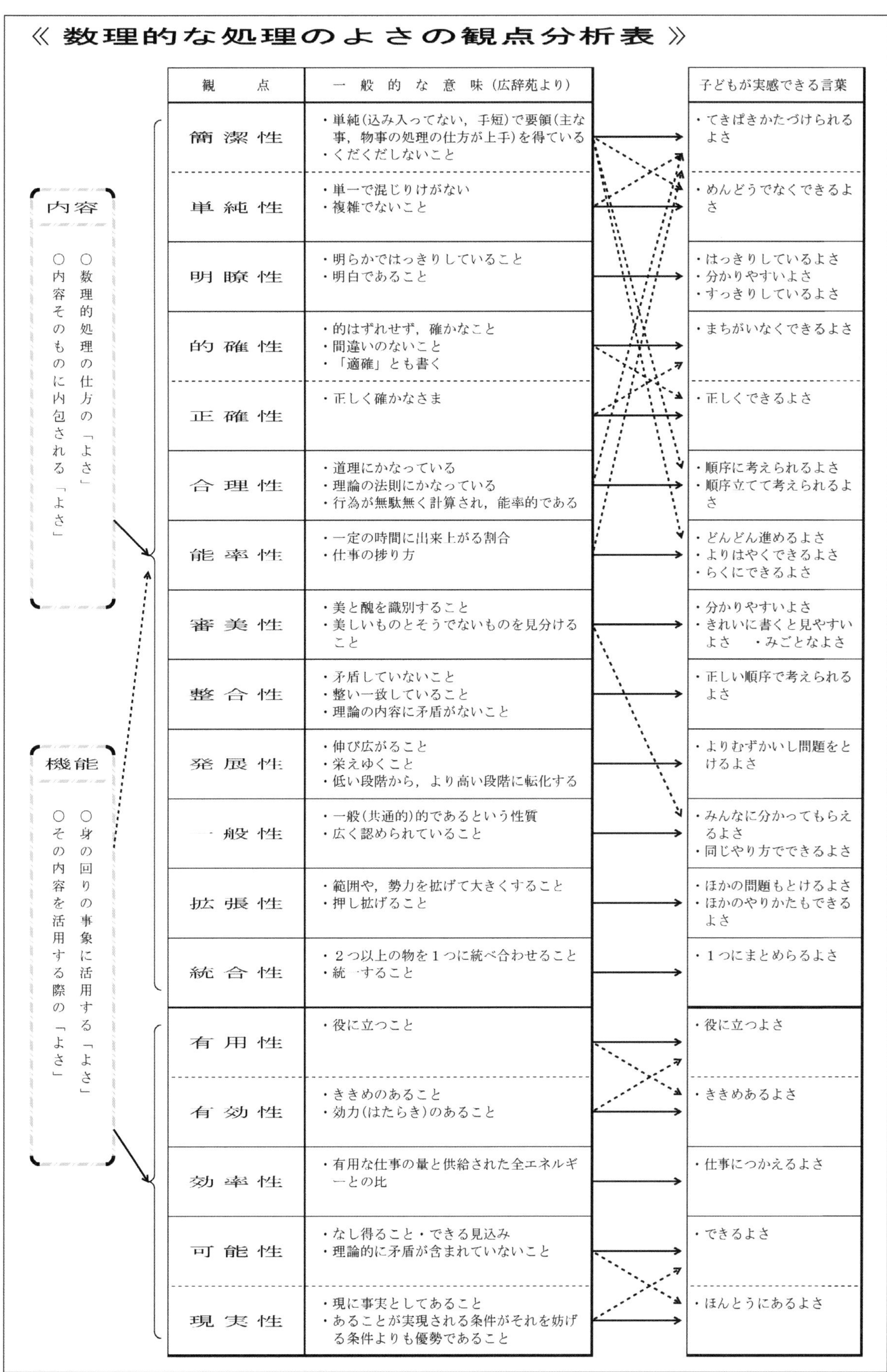

《数理的な処理のよさの観点分析表》

内容
○数理的処理の仕方の「よさ」
○内容そのものに内包される「よさ」

機能
○身の回りの事象に活用する「よさ」
○その内容を活用する際の「よさ」

観点	一般的な意味（広辞苑より）	子どもが実感できる言葉
簡潔性	・単純(込み入ってない，手短)で要領(主な事，物事の処理の仕方が上手)を得ている ・くだくだしないこと	・てきぱきかたづけられるよさ
単純性	・単一で混じりけがない ・複雑でないこと	・めんどうでなくできるよさ
明瞭性	・明らかではっきりしていること ・明白であること	・はっきりしているよさ ・分かりやすいよさ ・すっきりしているよさ
的確性	・的はずれせず，確かなこと ・間違いのないこと ・「適確」とも書く	・まちがいなくできるよさ
正確性	・正しく確かなさま	・正しくできるよさ
合理性	・道理にかなっている ・理論の法則にかなっている ・行為が無駄無く計算され，能率的である	・順序に考えられるよさ ・順序立てて考えられるよさ
能率性	・一定の時間に出来上がる割合 ・仕事の捗り方	・どんどん進めるよさ ・よりはやくできるよさ ・らくにできるよさ
審美性	・美と醜を識別すること ・美しいものとそうでないものを見分けること	・分かりやすいよさ ・きれいに書くと見やすいよさ　・みごとなよさ
整合性	・矛盾していないこと ・整い一致していること ・理論の内容に矛盾がないこと	・正しい順序で考えられるよさ
発展性	・伸び広がること ・栄えゆくこと ・低い段階から，より高い段階に転化する	・よりむずかいし問題をとけるよさ
一般性	・一般(共通的)的であるという性質 ・広く認められていること	・みんなに分かってもらえるよさ ・同じやり方でできるよさ
拡張性	・範囲や，勢力を拡げて大きくすること ・押し拡げること	・ほかの問題もとけるよさ ・ほかのやりかたもできるよさ
統合性	・２つ以上の物を１つに統べ合わせること ・統一すること	・１つにまとめらるよさ
有用性	・役に立つこと	・役に立つよさ
有効性	・ききめのあること ・効力(はたらき)のあること	・ききめあるよさ
効率性	・有用な仕事の量と供給された全エネルギーとの比	・仕事につかえるよさ
可能性	・なし得ること・できる見込み ・理論的に矛盾が含まれていないこと	・できるよさ
現実性	・現に事実としてあること ・あることが実現される条件がそれを妨げる条件よりも優勢であること	・ほんとうにあるよさ

前ページは算数科の「数理的な処理のよさの観点」です。この観点は，将来や生活につながっていくものです。生活の中で，何かを処理する際，「この方法がはやい」とか「正確だ」とか「分かりやすい」といった数理的よさは，生活や将来につながっていきます。

この観点は他教科にも応用できます。例えば，中学校社会科の資料分析の観点として使って，比較・検討しつつ，リフレクションの視点としてもそのまま活用できます。

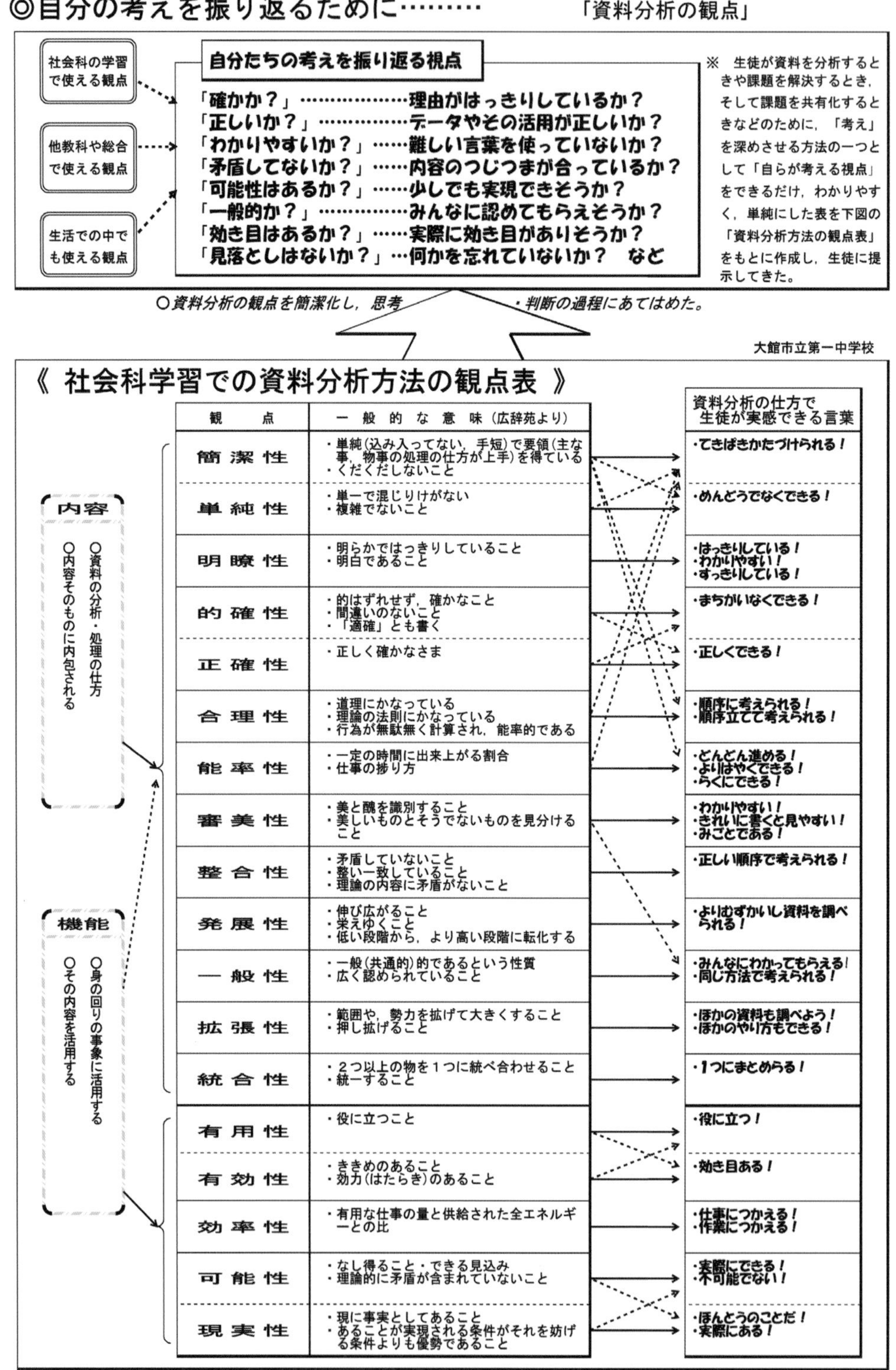

◎自分の考えを振り返るために………　「資料分析の観点」

社会科の学習で使える観点

他教科や総合で使える観点

生活での中でも使える観点

自分たちの考えを振り返る視点

「確かか？」…………………理由がはっきりしているか？
「正しいか？」………………データやその活用が正しいか？
「わかりやすいか？」……難しい言葉を使っていないか？
「矛盾してないか？」……内容のつじつまが合っているか？
「可能性はあるか？」……少しでも実現できそうか？
「一般的か？」………………みんなに認めてもらえそうか？
「効き目はあるか？」……実際に効き目がありそうか？
「見落としはないか？」…何かを忘れていないか？　など

※　生徒が資料を分析するときや課題を解決するとき，そして課題を共有化するときなどのために，「考え」を深めさせる方法の一つとして「自らが考える視点」をできるだけ，わかりやすく，単純にした表を下図の「資料分析方法の観点表」をもとに作成し，生徒に提示してきた。

○資料分析の観点を簡潔化し，思考・判断の過程にあてはめた。

大館市立第一中学校

《 社会科学習での資料分析方法の観点表 》

内容
○資料の分析・処理の仕方
○内容そのものに内包される

機能
○身の回りの事象に活用する
○その内容を活用する

観点	一般的な意味（広辞苑より）	資料分析の仕方で生徒が実感できる言葉
簡潔性	・単純（込み入ってない，手短）で要領（主な事，物事の処理の仕方が上手）を得ている ・くだくだしないこと	・てきぱきかたづけられる！
単純性	・単一で混じりけがない ・複雑でないこと	・めんどうでなくできる！
明瞭性	・明らかではっきりしていること ・明白であること	・はっきりしている！ ・わかりやすい！ ・すっきりしている！
的確性	・的はずれせず，確かなこと ・間違いのないこと ・「適確」とも書く	・まちがいなくできる！
正確性	・正しく確かなさま	・正しくできる！
合理性	・道理にかなっている ・理論の法則にかなっている ・行為が無駄無く計算され，能率的である	・順序に考えられる！ ・順序立てて考えられる！
能率性	・一定の時間に出来上がる割合 ・仕事の捗り方	・どんどん進める！ ・よりはやくできる！ ・らくにできる！
審美性	・美と醜を識別すること ・美しいものとそうでないものを見分けること	・わかりやすい！ ・きれいに書くと見やすい！ ・みごとである！
整合性	・矛盾していないこと ・整い一致していること ・理論の内容に矛盾がないこと	・正しい順序で考えられる！
発展性	・伸び広がること ・栄えゆくこと ・低い段階から，より高い段階に転化する	・よりむずかいし資料を調べられる！
一般性	・一般（共通的）的であるという性質 ・広く認められていること	・みんなにわかってもらえる！ ・同じ方法で考えられる！
拡張性	・範囲や，勢力を拡げて大きくすること ・押し拡げること	・ほかの資料も調べよう！ ・ほかのやり方もできる！
統合性	・２つ以上の物を１つに統べ合わせること ・統一すること	・１つにまとめらる！
有用性	・役に立つこと	・役に立つ！
有効性	・ききめのあること ・効力（はたらき）のあること	・効き目ある！
効率性	・有用な仕事の量と供給された全エネルギーとの比	・仕事につかえる！ ・作業につかえる！
可能性	・なし得ること・できる見込み ・理論的に矛盾が含まれていないこと	・実際にできる！ ・不可能でない！
現実性	・現に事実としてあること ・あることが実現される条件がそれを妨げる条件よりも優勢であること	・ほんとうのことだ！ ・実際にある！

自分の考えを振り返る視点は一見，算数・数学や理科など，処理を要する教科にのみ当てはまるように見えます。しかし，どの教科でも学習することの視点を少し変え，

「○○の学習をすると，どんな○○が，どうなるだろう？」

という捉え方をすると，どの教科などにも当てはめることができます。

これはP44で示した「学習課題の構造」と同じで，学習を生活や将来とスムーズにつなげるためには，この発想は不可欠です。

国語や英語は追究型の学習課題を設定しづらいという特性もありますが，「テストや試験の成績を上げるため」という発想から脱却しなければ，どの教科でも，追究型の学習課題を設定しづらいままになってしまいます。

設定しづらい理由は，「処理」という事象・活動に固執しているからです。

それよりも「学習したことを，どの教科であっても，生活や将来につなげる」という教師の意識が授業改善につながっていきます。

「処理」という学習活動をどう捉えるかという点も考え直したいところです。**「処理」=「学習すること」・「学習を活用すること」**と捉えれば，どの教科でも追究型の学習課題は設定できるのです。

これまでの内容を詳しく確認すると次の通りです。

追究型学習における学習課題の設定

追究型学習の肝となるのが学習課題の設定です。学習内容そのものを学習しようという「学習目標」の設定とは全く違うものです。学習課題を使ってリフレクションできるかどうかがポイントとなります。以下，これまでに挙げた例を元に解説します。

A…学習目標　B…学習課題に見える学習目標　C…追究型に近い学習課題　D…追究型学習課題

【小学校算数科の課題と解答例】

B「この台形の面積は，いくらになるだろう？」
→○○cm²である。

C「この台形の面積は，どのような方法で求められるだろう。」
→このような方法で計算できる（いくつかの方法が出てくる）。

【追究型学習の課題】

D「この台形の面積は，どのような方法で求めればどんなよさがあるだろう。」
→この方法はより正確に計算できる。／この方法はよりはやく計算できる。／この方法はより分かりやすい。／この方法は間違いが少なくできる。／この方法は連続して応用できる。など
多くの考え・反応に対して，さらに多くのリフレクションができる。

P45・46の例より

【中学校社会科の学習課題】

A「人口のかたよりの問題について考えよう。」
C「なぜ，人口のかたよりは問題になるのだろう？」
D「どんなことが，人口のかたよりをつくるのだろう？」

【解答例・反応】

C→ 1975 年（45 年くらい前）と現在では，65 歳以上の数が変わり，1 人のお年寄りを 10 人での補助が，今はほぼ一人での補助しなければならないから。（「まとめ」の内容）
D→「どんな事象が，人口のかたよりをつくっているのか。」という多角的視点がたくさん出てくる。自分の生活に目を向けようとする。

【中学校英語科の学習課題】

C「大館と東京ではどちらが住みやすいか？」
D「大館と東京には，どんなよさがあるかキャリー先生に伝えるにはどうすればよいか？」

【解答例・反応】

C→東京が住みやすい。／大館は田舎でよくない。／大館は自然が多い。など
D→ I think that を使えば自分の考えを伝えられる。／ I think that だけでなく他の方法はないか。／ I think that を使って他の人にも伝えよう。
※英語科では，場面設定を限定するとよい。「日記」→過去形になる。「よさ」→比較級になる。

【中学校体育科の学習課題】

C「バスケットボールで速攻で相手チームから得点をあげるにはどうすればよいか？」
D「バスケットボールで素早い球回しをするとどんな影響があるだろう？」

【解答例・反応】

C・Dともに→スペースをつくって，素早いパスをすることで得点力アップができる。
C→リフレクションに到達できない。
D→バスケットボールだけでなく，普段の生活でも素早い動き・連携をすることの効果を意識できる（時間を大切にすることができる　など）。

ここに示す追究型学習課題は，「D」です。しかし「A」も「B」も「C」も「D」も学習内容・展開自体には，大きな違いはありません。

それどころか「まとめ」の内容も全て同じになります。ならば「A」～「D」どれでもよいと思えるかもしれまんが，「D」だけがリフレクションに到達できるのです。

ここまで「何のために，何を学ぶのか」という学ぶことの意味をうまく伝えなければならないことを繰り返し述べてきましたが，その具体的な手立てがリフレクションです。

学習課題がリフレクションに到達できる設定でなければ，学びは生活や将来に結び付きにくいのです。だからこそ，「D」のような追究型の学習課題が必要であり，なおかつ子

供からの意図的な引き出し・導き出しで学習意欲をかき立てることが学習の効果を上げることになるのです。

【小学校１年国語科の学習課題】

C「のばしてよむことばは，ひらがなでどうかくのかな？」
D「のばしてよむことばは，どんなルールがあるのかな？」

【解答例・反応】

C→おか○さんのときは「あ」とかく。おと○さんのときは「う」とかく。
D→のばすことばは「あ」「い」「う」「え」「お」のどれかがはいる。／おなじほうほうでかくことができる。
※小学校１年生であっても，Dの学習課題でルールを発見できる。次は生活につながる。

たとえ小学校１年生であっても，このように追究型の学習課題を設定できます。そしてその展開とリフレクションから生活や将来に結び付けることができます。

また，小学校２年生の国語科であっても学習課題を次のように変換できます。

【小学校２年国語科の学習課題】

A「スイミーのあらすじを書こう。」
B「スイミーのあらすじはどうなるだろう？」
C「スイミーのあらすじをどう書けばよいだろう？」
D「スイミーの物語を１年生に紹介するにはどうすればよいか？」

【解答例・反応】

A・B→あらすじはこんな感じになる。
C→話を短くまとめて書けばよい。
D→Cの反応を通過して，○○の方法で書けば，他の人に短時間で伝えることができる。

例をあげればまだまだありますが，上記の通り，追究型学習課題を比較的つくりにくいとする国語科や英語科，そして小学校低学年でも追究型学習課題は設定でき，十分機能します。

もちろん体育科であっても，言語表現は大切です。短時間で立ったままで話合いをする活動を繰り返すことで，短時間が，さらに短時間になっていきます。このような学習訓練も大切です。体育科では話合いができないということは全くなく，むしろ，試合などの場面で選手同士がハーフタイムや攻守交代の際，何らかの話合いをすることの方が現実的なことです。また体育科の作戦タイムなどでは，「自分の考えを相手に正確に伝える」「仲間の考えをリスペクトする」ことも要求されます。

まさに，基礎的・汎用的能力が要求され，鍛えられていく場面です。

追究型学習はどの教科等・学校行事でも，どの学年でも機能させることができるし，その効果も必ずあらわれるのです。

7.「リフレクション」とは？

一般的に「リフレクション」とは「内省」とか「熟考」など，反省とは違う意味で使われていますが，本校では，学習を振り返り，生活や将来にどうつながっているか想起することを「リフレクション」と呼ぶこととし，授業の終末の場面で毎時間，短時間で行うことにしてきました。たとえ追究型タイプの学習でなくても，リフレクションは必要です。

短時間でリフレクションを行うためには，普段からの学習訓練が必要であり，全教科で行うこともその条件になります。

実践校では，全教科でリフレクションを行っているため，生徒には授業の終末で必ずリフレクションを行うことが意識化され浸透していました。

リフレクションの目的は，今の学習がどう生活や将来につながっているのかを自覚し，活用していく意識を強くするところにあります。前述したように，このことが「使いこなせる知識」につながり，長期にわたる記憶の定着となっていくからです。

P45・P46の一覧表のように，学習課題を使ってリフレクションできる課題を設定することが前提です。P45・P46では，リフレクションまで到達できる学習課題と到達できない学習課題を提示しました。

リフレクションの効果を上げるためには追究型の学習課題が理論的に設定されなければなりません。学習課題の設定が不十分であれば，答えが出て学習が終了となったり，「まとめ」の段階で終了だったりという状態になってしまいます。

リフレクションは全教科等で行うことにしてきましたが，教科等の特性もあり，学校全体としては，「生活」「将来」とのつながりをベースとして，教科毎に必要な観点を任せてきました。すると概ね次のような内容になってきました。

教科で考えたリフレクションの視点	
【国語・英語・体育・音楽】	**【社会・数学・理科・美術・技術・家庭】**
1　発見・気付き	1　将来・未来
2　疑問：～の時はどうなる	2　身近な生活・社会
3　活用：将来・生活の中で	3　自分の変容
4　成長：～を使ってできた	4　疑問・不思議
	5　驚き・発見

教科の特別教室や場所がある教科は，その教室内に次ページのような「リフレクションの視点」を掲示し，単なる感想ではない振り返りをしてきました。

授業の感想であれば，ほとんど必要ありません。結果的に感想に近い内容が子供たちから出てくることがあっても，リフレクションではあくまでも，生活・将来とのつながりを軸に，各教科等で設定した視点で振り返るという点を重視しました。

前述の各教科部でリフレクションの観点を考えてもらった結果は，その観点が絶対的だとか，正しいとかいうものではありません。

基本パターンとして，学校全体で共通して行う内容を「生活」，「将来」とのつながりにしましたが，それ以外は各教科等で特質に合わせた観点を設定しています。

下のポスター例は，教室の後ろからでも見えるように大きく拡大し，黒板の脇に掲示した理科と英語のリフレクションの観点です。

ポスターがなくてもリフレクションはできますが，ポスターがあることによって，「今日のリフレクションの観点は『○○』でお願いします。」と観点を絞ることができ，時間を有効に活用することができます。

また，単なる感想に陥ることを防ぐ効果もあります。

リフレクションは，学習を生活や将来につなげるためのもので，そこにつながらなければ，意味のない時間になってしまいます。また本時の学習を振り返っての感想発表ではありません。

理科でリフレクション

1 自分の変容
2 将来・未来
3 身近な生活・社会
4 疑問・不思議
5 驚き・発見

Points of Reflection

A 発見，気付き
■～でコミュニケーションがうまくいった
■～ということが分かった。～だと気付いた。

B 疑問
■～と分かったが，～の時はどうだろうか。

Points of Reflection

C 活用
■将来，～をこんな時に使ってみたい。
■生活の中で，こんな時に使えそうだ。

D 成長
■～を使って，～できた。
前よりも～できるようになった。

8.「追究型学習」では「まとめ」と「リフレクション」を分離

授業の「まとめ」と「リフレクション」を完全に分ける展開は追究型学習実践のポイントです。この点に注意しないと，まとめとリフレクションがごちゃまぜになってしまうことがあります。

「まとめ」は本時に押さえるべきねらいです。当然，子供たちから再度，時間をかけて引き出すべき内容ではありません。「まとめ」は教師サイドから正確に短時間で伝えるべき（押さえるべき）内容です。

時間をかけて確認すべきなのは，追究活動の時間で，比較・検討・対話・実験・確認など主体的な活動時間です。

実践校では追究型学習でも追究型の学習でなくても，リフレクションだけは必ず行うようにしてきました。そのため「まとめ」と「リフレクション」が混じり合わないようにする必要がありました。それは，これまでの実践から，「振り返り＝リフレクション」の場面で，教科の学習内容（＝まとめ）も振り返る授業が多かったからです。

学習の内容を振り返る活動は，既習事項を想起させたり，見通しをもたせる場面にこそ必要です。学習内容を振り返っていけないということはありませんが，「○○が分かった」ということを振り返る展開は必要ないと考えています。

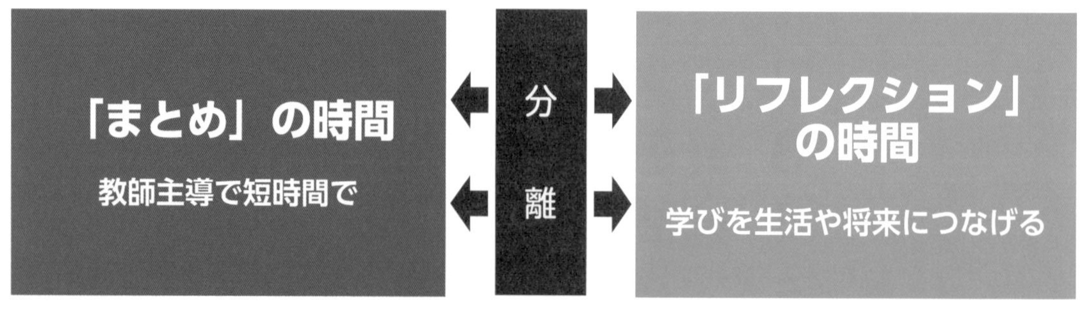

ここで留意したいのが，全ての展開を教師主導で進めないことです。

追究型学習では，学習のほとんどが子供に任せられています。教師には，子供に任せるところは任せ，上手に授業をコーディネートしていく役目があるのです。だからこそ，「まとめ」は本時の授業で押さえるべき内容を簡潔に教師から伝える段階として設定をしたのです。「まとめ」をしっかり行うことで，ブレのない授業になり「リフレクション」が行えるようになります。

9．リフレクションをキャリア・パスポートに生かす

第２章２－(４)「リフレクションの段階」で示したように，毎回，短時間でもリフレクションを積み重ね，記録していくと，その内容がキャリア・パスポートと直接重なっているものがあります。これは学習が基礎的・汎用的能力の育成につながっている証拠です。

キャリア・パスポート(秋田県ではキャリアノート)は，最初にありきではなく，基礎的・汎用的能力の育成のために効果的に活用できる必要なツールです。

キャリア・パスポートは，キャリア発達のための手段であり，目的ではありません。したがって，キャリア・パスポートは学期末や年度末にまとめて記入し，教師や保護者がコメントを記入する，という使い方は適切ではありません。

リフレクションの積み重ねが大切であり，その効果を上げる。

●キャリアノートを活用した学習の例

「追究型学習で毎時間リフレクションを行うこと」と「キャリアノートを使って，自分の成長を実感しながら学習していくこと」は，ほぼ同様の学習です。どちらも生活や将来に強くつながっています。普段からの積み重ねが，基礎的・汎用的能力の育成へ向けて大きな成長につながるのです。

卒業を間近に控えた２月の学活。中学校では３年間及び小学校時代を含めた９年間の成長を振り返り，仲間同士で共有します。それをホワイトボードに記入し，発表し，キャリア発達を個人でも集団でも共有します。

友達の考えも尊重することで，結果として自分の考えを確かにすることができます。

キャリアノートを活用し，リフレクションから未来に向けた強い気概を考える学習（中学３年生）

また，キャリア・パスポートは教師サイドから見ても，これまで「どんな先生方に」「どのような指導・支援」を受けてきたのかも見取ることができ，指導・支援にたいへん参考になります。

秋田県のキャリアノートは年に約３ページ，９年間で27ページほどのものです。このキャリアノートは高校にそのまま引き継がれていきます。

高校の先生方からは，「どんなことを考え，どんな活動をしてきたのかがよく分かり，たいへん参考になる」「面接練習やAOに十分役立つ」といった感想をいただき，有効活用されているようです。

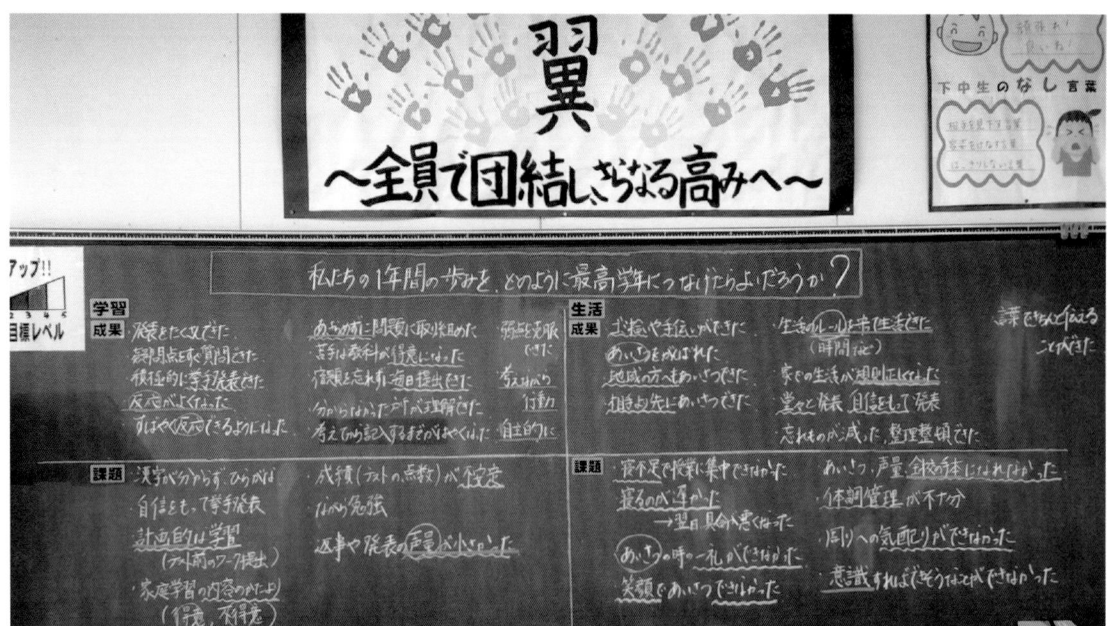

これまでの自分を振り返り，今後自分はどうなっていくかを考えた（板書）

２年生２月に行う「『最高学年になる』にあたって」という学習では，これまでの学習と生活について成果と課題を個人と全員の内容を比較し，共有し，キャリアノートに，今後自分に必要な能力について記述していきます。その後，保護者からのコメント，学級担任からのコメントと続きます。

これは単なる決意表明ではありません。「単にキャリアノートを使う」とか「キャリアノートを書くための学習をする」のでもありません。

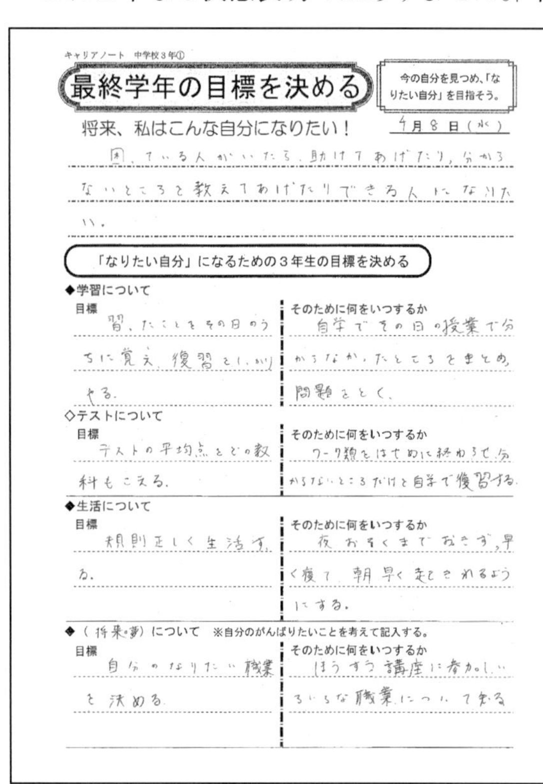
キャリアノート　中学校３年①

最終学年の目標を決める

今の自分を見つめ、「なりたい自分」を目指そう。

将来、私はこんな自分になりたい！　4月8日（水）

困っている人がいたら，助けてあげたり，分からないところを教えてあげたりできる人になりたい。

「なりたい自分」になるための３年生の目標を決める

◆学習について

目標	そのために何をいつするか
習ったことをその日のうちに覚え，復習をしっかりやる。	自学でその日の授業で分からなかったところをまとめ，問題をとく。

◇テストについて

目標	そのために何をいつするか
テストの平均点をどの教科もこえる。	ワーク類をはやめに終わらせて，分からないところだけを自学で復習する。

◆生活について

目標	そのために何をいつするか
規則正しく生活する。	夜おそくまでおきず，早く寝て朝早く起きれるようにする。

◆（将来・夢）について　※自分のがんばりたいことを考えて記入する。

目標	そのために何をいつするか
自分のなりたい職業を決める	ほうすう講座に参加していろいろな職業について知る

中学２年，最高学年に向けて「なりたい自分」キャリアノートによる意思決定

基礎的・汎用的能力を身に付け，力強く生活していくためのノートの活用です。

自分の将来は自分で決めることになります。しかし，感覚だけで決めるのではなく，これまでの経験や体験，様々な方からのアドバイス，現在の状況など，多くの情報から選択しなければなりません。

つまり「意思決定の力」を身に付けさせる普段からの学習が大切になるのです。

この学習では，意思決定のみが目標ではなく，「意思決定が今後どのような展開（人生）になっていくのかを真剣に考え，行動していくこと」に目標があります。

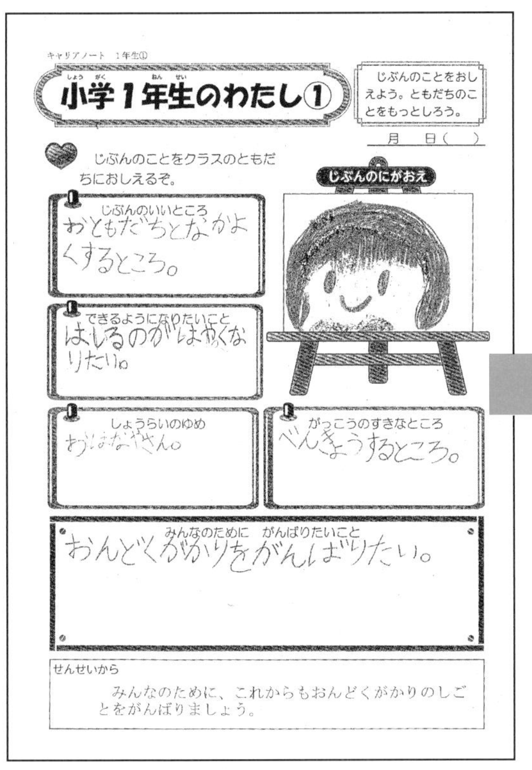
キャリアノート　1年生①

小学1年生のわたし①

じぶんのことをおしえよう。ともだちのことをもっとしろう。

月　日（　）

じぶんのことをクラスのともだちにおしえるぞ。

じぶんのにがおえ

じぶんのいいところ
おともだちとなかよくするところ。

できるようになりたいこと
はしるのがはやくなりたい。

しょうらいのゆめ
おはなやさん。

がっこうのすきなところ
べんきょうするところ。

みんなのために がんばりたいこと
おんどくがかりをがんばりたい。

せんせいから
みんなのために、これからもおんどくがかりのしごとをがんばりましょう。

9年前（小学校1年）

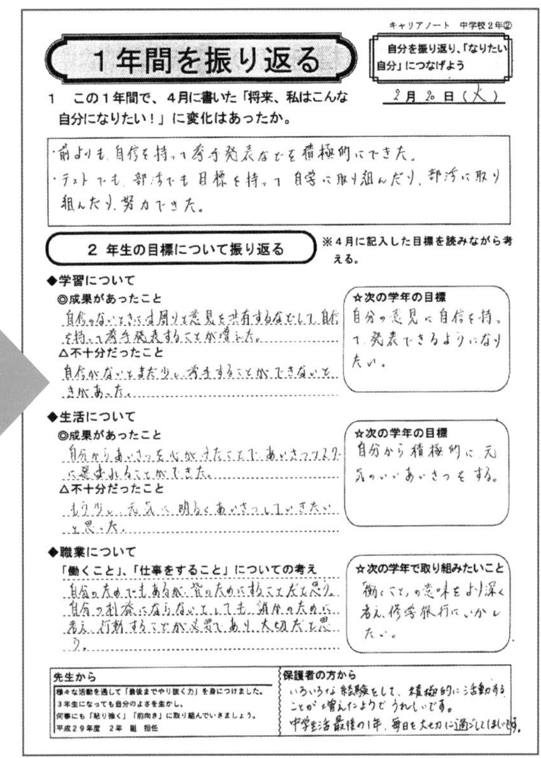
キャリアノート　中学校2年②

1年間を振り返る

自分を振り返り、「なりたい自分」につなげよう

2月20日（火）

1　この1年間で、4月に書いた「将来、私はこんな自分になりたい！」に変化はあったか。

・前よりも自信を持って挙手発表などを積極的にできた。
・テストでも部活でも目標を持って自学に取り組んだり、部活に取り組んだり、努力できた。

2　年生の目標について振り返る

※4月に記入した目標を読みながら考える。

◆学習について

◎成果があったこと
自信のないときには周りと意見を共有するなどして、自信を持って挙手発表することが増えた。

△不十分だったこと
自信がないとまだ少し挙手することができないときがあった。

☆次の学年の目標
自分の意見に自信を持って発表できるようになりたい。

◆生活について

◎成果があったこと
自分からあいさつを心がけたことで、あいさつでみんなに返されることができた。

△不十分だったこと
もう少し元気に明るくあいさつしていきたいと思った。

☆次の学年の目標
自分から積極的に元気のいいあいさつをする。

◆職業について

「働くこと」、「仕事をすること」についての考え
自分のためでもあるが、皆のためにすることだと思う。自分の利益にならないとしても、誰かのために考え、行動することが必要であり、大切だと思う。

☆次の学年で取り組みたいこと
「働くこと」の意味をより深く考え、修学旅行にいかしたい。

先生から
様々な活動を通して「最後までやり抜く力」を身につけました。
3年生になっても自分のよさを生かし、
何事にも「粘り強く」「前向き」に取り組んでいきましょう。
平成29年度　2年　組　担任

保護者の方から
いろいろな経験をして、積極的に活動することが増えたようでうれしいです。
中学生活最後の1年、毎日を大切に過ごしてほしいです。

現在（中学校3年）

秋田県では平成23年に「キャリアノート」を活用し始め，令和2年度で9年目となりました。上の資料のように，中学校3年生は，9年前の自分の考えや様子が容易に分かるようになりました。

キャリアノートを振り返る生徒には「9年前はこんなことを考えていたのか」とか「今も同じ考えだ」などの反応が見られます。

たった数ページをめくるだけで，文字自体が成長と共に上手になっていることや，その内容の幼さから今の自分の成長を感じ取ることができます。

「キャリアは，いくらでも上書きできる」ことを伝え，将来，どこにいてもふるさとを支える強い気概をもたせることができたことが，質問紙・アンケート結果からも分かっています。

開校記念集会でキャリアノートを活用し，自分を振り返り，未来へ

10. 単元レイアウトの必然性

単元の中で全ての時間を「追究型学習」として展開していくことは難しいことです。単元を１サイクル型[5]と捉えることも大切です。例えば，単元が10時間あるとすると，各単元をどのように学習していくか，教師の力でレイアウトすることが必要になります。

教師自身も教科書通りの展開，指導書通りの展開だけでなく，単元の十分な教材研究を行い，単元の内容や性質などを理解し，この単元でどのような進め方が有効なのか，習得・活用・追究を実態に合わせてバランスよく「単元の再構成」を行うべきです。次に示すのが，単元の構造を分析した「単元構成図」です。

【小学校６年社会科「もののゆくえ」の例】「単元構成図」

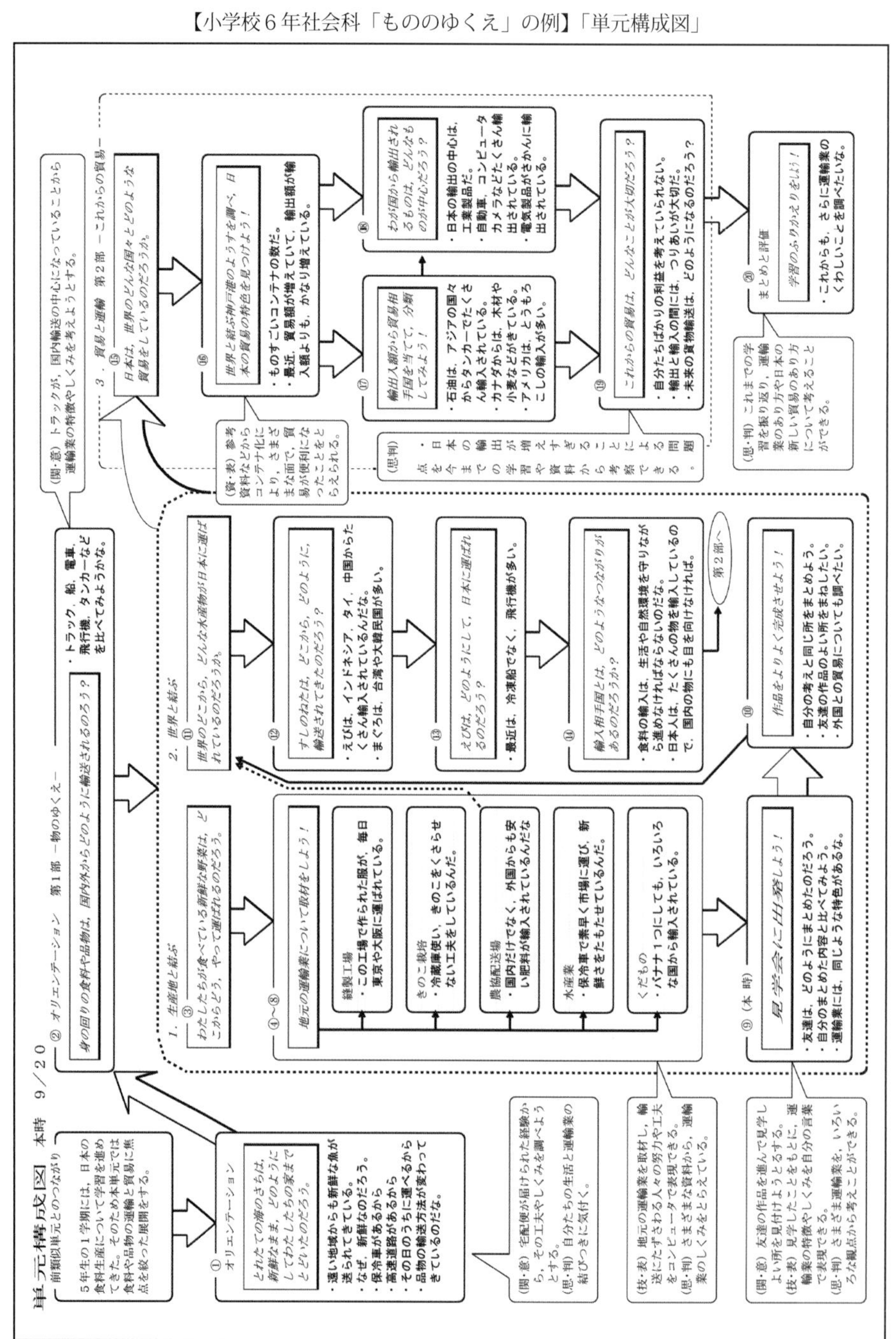

【中学校３年社会科「経済」の例】「単元構成図」

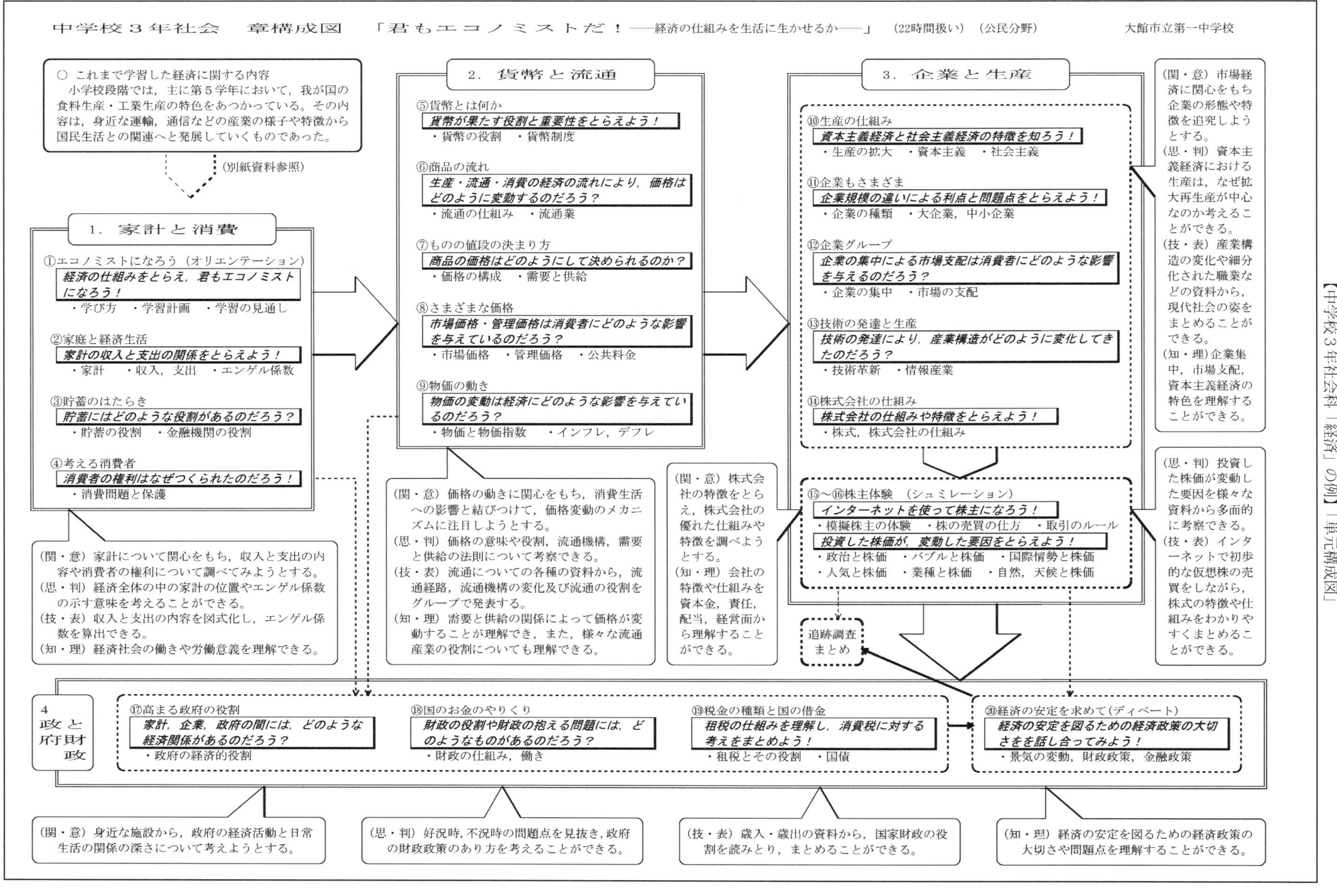

次の表は，11時間扱いの「単元の評価計画」です。縦型でも横型でも構いません。この計画表は国立教育政策所の評価規準を参考にして作成しました。市町村合併はカリキュラムに直接反映されている内容ではありませんが，生活に直接関係のある学習として，学習材化を図り，追究型学習で展開をしました。追究型学習の展開をするためには「評価計画」だけでは不十分で，単元を分析した「単元構成図(P67参照)」が必要になります。

【中学校１年の社会科「身近な地域」の展開例】

8　単元の評価計画　　第一学年　「身近な地域を調べよう」――大館・比内・田代の合併がスタートすると――　（１１時間扱い　本時８／１１）

項目	（2）　ア　身 近 な 地 域		単 元 名	第２編　いろいろな地域を調べよう		
単元の総括目標……………身近な地域における諸事情を取り上げ，観察や調査などの活動を行い，生徒が生活している土地に対する理解と関心を深めさせるとともに，市町村規模の地域的特色をとらえる視点や方法，地理的なまとめ方や発表の方法の基礎を身に付けさせる。 学校所在地の事情を踏まえて観察や調査を追究の過程を重視し，地域的特色をとらえる視点や方法を学び合い，共有化する。						
小単元名	身 近 な 地 域 を 調 べ よ う ！		観　点　別　評　価　の　規　準　と　方　法			
小単元の目標 身近な地域に対する関心を高め，市町村合併という社会的事象から今日的課題を見いだし，人々の営みや自分のくらしと関連付けて多面的・多角的に追究し，地域の変化や特色をとらえる視点や方法を考察し，地理的なまとめ方や発表の方法を身に付けている。			社会的事象への関心･意欲･態度 身近な地域に対する関心を高め，どんなことをどんな方法で追究するか，その観察や調査などに意欲的に取り組み，身近な地域の特色をとらえようとしている。	社会的な思考・判断 身近な地域の社会的事象から今日的課題を見いだし，それを人々の営みや自分のくらしと関連付けて多面的・多角的に追究し，地域の変化や特色をとらえる視点や方法を考察している。	資料活用の技能・表現 身近な地域に関する観察や調査，地図や統計・その他の資料の収集を行い，学習に役立つ情報を適切に選択し，活用するとともに，地域の事象を追究した過程や結果をまとめたり，発表したりしている。	社会的事象についての知識･理解 身近な地域として市町村規模の地域的特色や事象をとらえる視点や方法（地理的なまとめ方や発表の方法など）を理解し，それらの知識を身に付けている。
時	題　材	学 習 の ね ら い				
1	1　わが秋田県と大館市の様子	○ 身近な地域を学習するにあたって小学校の既習事項も活用し，秋田県内の市町村や大館市の地理的な概要について確認できる。	◎身近な地域を学習するにあたって，既習事項をもとに秋田県内の市町村や大館市の地理的な概要をとらえようとする。	・身近な地域の人口減少などの社会的事象の特徴を多面的・多角的に考察することができる。	○大館・比内・田代の地図や統計資料から人口推移や地域的特徴をとらえ，地理的な概要について説明をすることができる。	◎秋田県内の市町村や大館市の地理的な概要を地図や副読本などで確認し，理解できる。
1	2　全国的市町村合併への動き	○ 全国的な規模で市町村合併が行われる様子を知り，県内の合併状況をとらえることができる。	○全国的な規模で市町村合併が行われる様子を知り，県内の合併状況を意欲的にとらえようとする。	・全国的な市町村合併や県内の合併状況の様子を多面的・多角的に考察することができる。	◎全国的な規模で市町村合併が行われる様子を資料から読み取り，県内の合併の傾向を説明することができる。	◎全国的な規模で市町村合併が行われ，県内も同じように合併する理由を理解できる。
1	3　大館市・比内町・田代町の合併とわたしたち《小単元のオリエンテーション》	○ 平成１７年の大館市・比内町・田代町の合併によって，わたしたちのくらしにどんな変化やどのような影響を受けるのか，その概要に迫ることができる。	◎合併に関する学習のオリエンテーションを聞き，地域観察や地域調査などの活動に意欲的に取り組もうとする。	◎大館市・比内町・田代町の合併によって，わたしたちのくらしにどんな変化やどのような影響があるのか考察できる。	・大館市・比内町・田代町合併によって，どんな変化があるのか，新聞・インターネット・広報などから目的の資料を収集することができる。	○大館市・比内町・田代町の合併によって，わたしたちのくらしがにどんな変化やどのような影響を受けるのか，その概要を理解できる。
1	4　大館・比内・田代合併の社会的目的《課題１発見》	○ 合併の社会的目的をとらえ，合併について，「わからないこと」「学習 したいこと」を予想を加えて指摘で きる。	・合併の社会的目的をとらえたうえで，合併についての課題１を発見し，資料を活用して，追究しようとする。	○収集した資料をもとに疑問や学習したい内容を発見し，課題１を設定し，多面的・多角的に追究しようとすることができる。	◎自分の解決課題に沿った資料(内容)を発見したり，予想と比較したりなどの資料収集の作業ができる。	◎合併の目的やそのメリット，デメリットをとらえ，大館市及び県内の合併の様子をとらえ，まとめることができる。
1	5　新聞・広報などを活用して合併に関する資料集めをしよう！	○ 新聞・インターネット・広報などを活用して，「課題 1」を追究する ことができる。《資料収集》	◎新聞・インターネット・広報などのメディアを活用して，目的の資料を収集し，課題に解決しようとする。	◎収集した資料をもとに課題１を多面的・多角的に追究し，その理由を考察することができる。	○収集した資料から，合併の目的や課題などをとらえ，その理由を自分の考えを含めて簡単に発表することができる。	・収集した資料から，合併の目的や課題を追究し，その理由を自分の考えを含めて解決することができる。
1	6　収集した資料から新たな課題を発見しよう《課題２発見》	○ 収集した資料をもとに，自分の生活とかかわりをもった大館・比内・田代合併の新たな課題を設定することができる。	○ これまで収集した資料をもとに，意欲的に大館・比内・田代合併の新たな課題を設定することができる。	◎収集した資料を種類別に分類し，合併に関する新たな課題を考えだすことができる。	◎課題１をもとに，収集した資料から，合併に関する新たな課題を発見し，具体的に設定することができる。	・既習事項を振り返り，収集した資料の内容を理解し，合併に関する新たな課題を設定することができる。
1	7　コース別に合併に関する資料を分類しよう！《資料分類》	○ これまで収集した文化・行政・人口・産業・商業・生活など資料をコース別に分類することができる。	◎前時に設定した課題追究コース別に別れ，新たな課題２を追究するため，意欲的に協力して資料分類をしようとする。	・コース別に新たな課題を追究し考えることができる 原因を説明することができる	○収集した資料を新たな課題をスムーズに解決するために種類別の分類をすることができる。	・既習事項を理解し，収集した資料の内容を確かめながら種類別に分類することができる。
1	8　合併に自分の希望をもとう！ （本時　8／11）	○「新たな課題2」を追究し，わたしたちの生活への変化をとらえ，その変化に対し，ある程度の希望や意見をもつことができる。	・わたしたちの生活にどんな変化があらわれるか，またその変化に対し，ある程度の提案をしようとする。	◎合併後のさまざまな変化やその影響に対して，自分たちの希望や提案をグループ内で互いに比較・検討をすることができる。	○分類した資料を活用し，新たな解決課題を多面的・多角的に追究し，合併後のさまざまな変化を予想することができる。	◎新たな課題を解決によって，合併の仕組みや特徴を理解し，今後の希望や提案を学習シートにまとめることができる。
1	9　大館・比内・田代合併につてのディベートをしよう！	○ コース別に調べた内容をもとに全体の場でディベートに近い話し合いをし，情報交換をし，学習を共有化できる。	◎情報交換の場として，他の意見を尊重しながら，自分の考察を全体の場に広めようとする。	○自分本意の考えで，非現実的な提案にならず，現実的な希望や提案を全体の場でディベートに近い形で話し合いができる。	◎ コース別に調べた内容をもとに今後の希望や提案を全体の場でディベートに近い話し合いをすることができる。	・コース別に今後の希望や提案の内容を理解し，全体の場でディベートに近い話し合いをすることができる。
1	10　コース別発表会の準備をしよう！	○ これまでの合併についての学習を振り返り，今後のくらしの提案を中心に発表会の準備ができる。	○ これまでの合併についての学習を振り返り，今後のくらしの提案を中心に発表会の準備をしようとする。	◎これまでの学習の成果をふまえ，自分の考えを全体の場で提案し，その妥当性を再び考えることができる。	・これまでの学習の成果をふまえ，自分の考えを全体の場でわかりやすく提案する手だてを準備することができる。	◎学習の成果をふまえた提案発表会をするために，自分の考え方を多面的に整理し，シートにまとめることができる。
1	11　今後のくらしに提案発表会 《単元まとめ学習》	○ 大館市の地域事情をふまえたコース別の合併に関する提案発表会を聞き，その内容を共有化ができる。	◎ 大館市の地域事情をふまえたコー ス別の合併に関する提案発表会を聞き，その内容を共有しようとする。	◎これまでの学習の成果をふまえ，自分の考えを全体の場で提案し，その妥当性を再び考え，単元のまとめができる。	・これまでの学習の成果をふまえ，自分の考えを全体の場でわかりやすく提案することができる。	◎学習の成果をふまえた提案発表を聞き，自分の考えと比較しがら，その内容を理解し，シートにまとめることができる。

（　表の見方………「◎」は重要評価観点，　「○」は留意評価観点，　「・」は必要に応じて評価する観点　　大館市立第一中学校
）

【「評価計画表」から「単元構成図」をつくる】

単元は教師の力によって，学習指導要領のもと，子供・学校・地域の実態や状況に合わせてレイアウトされ，再構成が行われるべきです。

また単元構成図は，教材研究が十分でないと作成できません。そのため，単元構成図をつくる過程で十分な教材研究を行うことで，どの場面（時間）で追究型を行うのか，どの時間で練習や復習を行うかを明確にすることができます。

以下の例は③〜⑨が「追究型」で，その他は「準備」や「活用」・「復習」の時間です。

【中学校１年社会科「身近な地域」の例】「単元構成図」

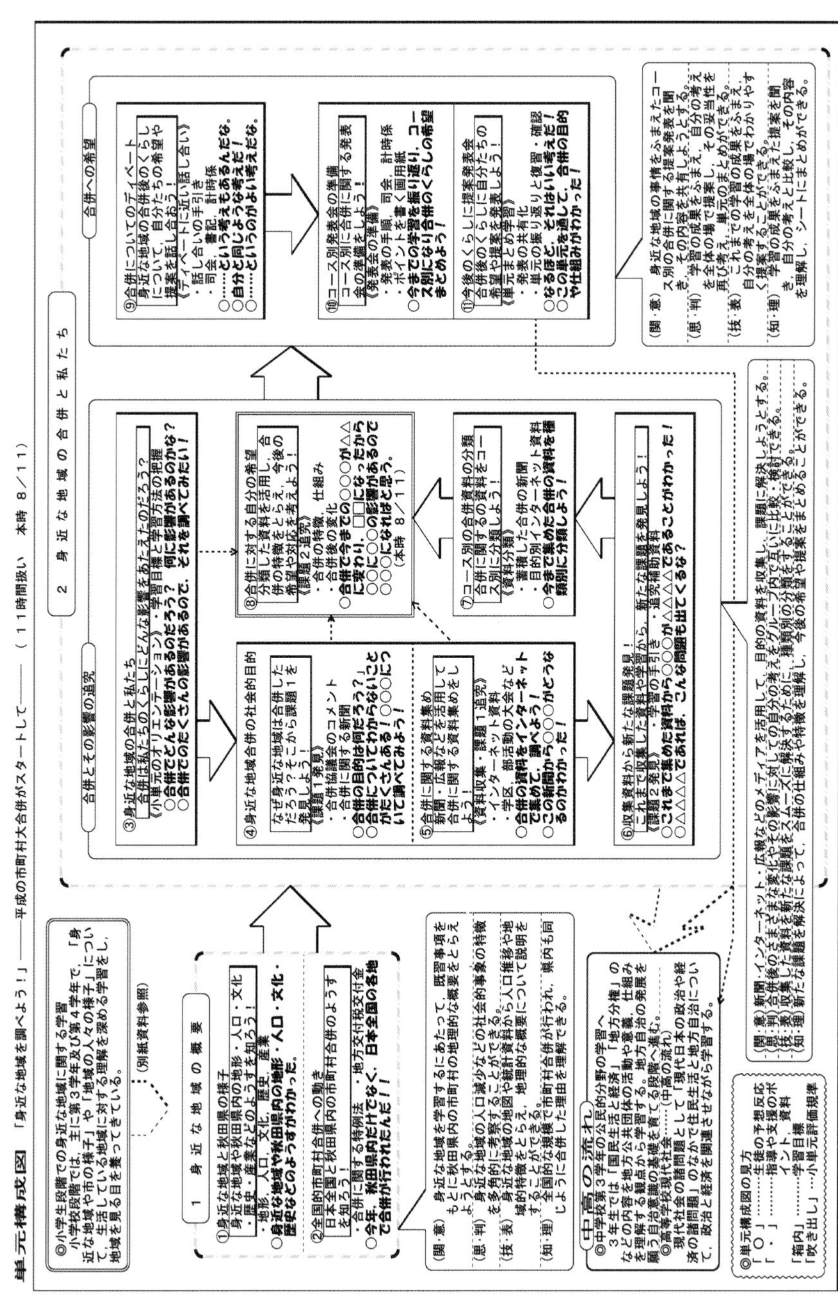

単元の１時間目から最後まで単に順序性があるわけではありません。段階が上がっていく場合もあれば，並列の関係の場合もあります。また既習事項と強く関係する時間もあります。ここでは，単元を大きく３つにレイアウトし，学習を進めました。

単元構成図をつくるのは容易ではありません。単元構成図をなしにしても，単元の構成を考え，計画を練らなければなりません。単発の授業の繰り返しになってはならないのです。「今日の授業は単元の中でこういう授業だ」ということを明確にすることが必要です。

追究型学習を進めるにあたって大切にしたいことのひとつが，指導者による「単元の再構成」です。そのための「単元構成力」が教師に求められるのです。

例えば，10時間の授業全てを追究型にするのではなく，２時間は練習のような時間や復習の時間が必要ということが考えられます。また，３～６時間目の内容は，同じ方法で取り組むようにして，「７時間目からは既習事項を使っての活動だから時間をかけて追究型学習を計画してみよう」など，前後・全体のつながりを含めた構成が考えられます。これを続けていくことで，自作単元構成図は必要な時間を有効に使い，追究型学習を確実に行っていく計画表になっていきます。

「単元構成図」の作成には決まったルールはありません。自分で単元を分析し，その内容を再構成していくだけです。毎回このような構成図を作らなくてもよいですが，この作業が充実した追究型学習につながっていくことは間違いありません。

この作業は，これほど複雑でなくてもよいですが，追究型学習には必然の作業です。

以下には，追究型学習で追究していく一連の実際をこれまでの授業から紹介します。P64～P67の「評価計画表」･「単元構成図」とリンクする実際の実践内容とそのまとめです。

●中学校１年社会科「身近な地域」から

1．追究型の授業構想

平成の市町村大合併について追究型学習………平成16年（市町村合併前の学習）

市町村合併は来年度にかけて，全国564の市町村で大規模に行われる。合併による変更内容には世の中の今日的課題が多種多様に含まれており，何らかの形で生活に影響がでてくるものと予想される。しかし生徒の関心は意外に低かったため，市町村合併を学習材化し，地理的分野の「身近な地域」の単元で，合併の様子に触れ，その影響や対策を実生活と関連させながら多角的に考える学習を取り入れることにした。

2．追究の実際……「大館・比内・田代合併」の学習づくり

（1）生の資料を収集する段階

最初に，半年ほど前からの合併に関する地元新聞を中心に収集した。次に情報に信頼性をもたせるため，新聞以外の資料(合併に関する広報・合併協議会HPや市職員への質問など)も集めた。

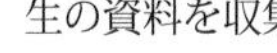
生の資料を収集

（2）収集した資料を選択・整理する段階

新聞記事や関係資料の合併に関する部分を切り取る作業を生徒全員で行った。膨大な資料はそのままでは学習できないため，生徒自身が必要な部分を選んで切り取る作業をした。この作業を通して合併の内容に少しずつ触れることができた。ポートフォリオ形式で，とりあえず大量の資料を分類しやすく切り取り，画用紙に貼り付ける作業をした。

資料を選び，切り取り，貼る

（3）選択した資料を内容別に分類する段階

新聞など資料を貼り付けた画用紙に，その内容のタイトルを書き，タイトルごとに分類作業をした。その結果,「学区」「議員数」「ゴミ」「文化」「意見」「保育料」など30以上の項目が出てきたが，次時の学習に入る前に教師サイドの判断で１年生の学習目標に適さない内容の「税金額」「住民負担」「福祉」など数種類を削除した。資料を次々に棚の中に入れ，分類は完了した。具体的には「学区」「部活動の大会」「議員数」「名前」「庁舎」「ゴミ」「文化」「予算」「保育料」などまで絞り込みをした。

資料を分類して，棚へ

(4)「今の時点で分からないこと」を分類した資料を活用し，解決する段階

生徒の疑問からスタートするため・大館・比内・田代の合併で「何がどのように変わるのか」という根本的な内容をタイトルごとに分類した資料から確認することにした。生徒の反応として，自分の生活に関わる内容が多く，「学区はどうなるのか」「部活動の大会はどうなるのか」などの疑問が多かった。

(5)「何にどのような影響を与えるか」を考える段階

合併で変わる内容を捉えた上で，その変化がどのような事柄に，どんな影響を与えるのかを中学生なりに考えさせた。影響を考える留意点として，自分たちが捉えた内容が確かで客観的な内容をもとにすることをおさえた。

自分たちの考えを出し合う

(6)「その影響への対応や希望」を考える段階

影響に対してどんな対応が考えられるかを自分なりに学習シートに書き，その後，同じ項目ごとのグループで一人一人が考えを出し合った。その内容を整理・確認し，画用紙に書いて黒板に次々に提示していった。

(7)「その対応策や希望」を互いに討論する段階

1つの事象に対しての「影響」は，裏表または多面的であり，様々な考えが出てくる。その多面性を多角的に捉えるために，討論を取り入れた。黒板に提示した「考え」を項目ごとに右表に示す「考えを振り返る視点」に照らし合わせてグループで検証させてきた。この作業によって，考えを他の生徒が共有でき，自分の考えをより確かなものにし，社会的事象を自分の力で判断した市長への「提言」へとつなげていった(グループ)。

【自分の考えを振り返る視点】

(生徒が分かりやすい言葉で提示)

「確かか？」
「正しいか？」
「分かりやすいか？」
「矛盾してないか？」
「可能性はあるか？」
「一般的か？」
「効き目はあるか？」
「見落としはないか？」

（8）自分たちの提言を発表する段階

学級で討論・提言

互いに討論をし，自分たちの考え方がどうであったかを振り返り，修正できる部分を改めて発表し，全体で意見を共有した。この段階では，今の自分の立場や相手の立場，時代の流れを捉えるために，より客観的で具体的な内容を生徒に要求した（個人）。

生の資料を取捨・選択・整理・加工・比較・検討などの課程を経て，ある一定の「提言」まで到達した内容は，次のようになった。

ゴミ

○市の花や，市章が変わるということは，ゴミ袋が変わると考えられます。なので，1，2ヶ月の間，旧ゴミ袋を使えるようにしてほしい。

○合併前の各市町で使っていたゴミ袋を，合併後も少しの間使用できるようにしてほしい。そうしないと，以前に使用していたゴミ袋が家庭に余っていた場合無駄になってしまうかもしれない。

○合併してしまうと以前のそれぞれの町の分別の仕方などがちがうので，まちがえてゴミを出してしまう人がでてしまうかもしれないので，ゴミ袋に入れていいものとだめなものを書いたり，町内の回覧板にも，かけばまちがえてゴミを出してしまう人が減ると思います。1組 ゴミ コース

シンボル

○比内町や田代町の花屋などで，町の花が売れなくなる。比内町や田代町のシンボルマークが無くなり，大館市のシンボルマークになる

○比内町と，田代町の花屋などは，大館市の花（菊の花）を売れば，もうかると思う。シンボルマークは，田代町，比内町のシンボルを残すため，田代町と比内町と大館市のシンボルを合わせればいい 組 コース

○田代町 比内町 大館市

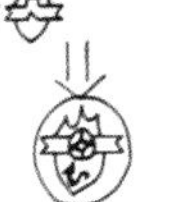

保育料

○保育料が20年度から国の基準の75％に統一される。（3さいモデルで23800円）大館は保育料が引き下げられる。（うれしい事）田代，比内は保育料が引き上げられることになる。特に田代町は3000円近く増える。家計の負担が多くなる。

○大館市と合併する田代町や比内町は保育料がいっきに高くなってしまうので最初のうちはいままで通りの保育料の金額でいいと思う。そして何ヶ月かしたらだんだん上げたり，下げたりすればいいと思う。4組 保育料 コース

学区

○生徒数の少ない学校どうしを合わせて一つの学校にすればいい。
○人数が少ない学校は自由学区制にすればいいと思う。

○合併後学区が変わると，通う学校が変わるかもしれない。
○制服も変わるかもしれない。
○人数が少ない学校はなくなってしまうかもしれない。
○地域要望等により，必要に応じて調整する。4組 学区 コース

文化

○自分たちの地域の行事ばかり参加してしまい，新市の人がばらばらになってしまうのを防ぐために，市民全員に行事のことを呼びかけていく。
○新しい大館市民みんなが楽しめる新しい行事をつくる。4組 文化 コース

○今は，新イベント考えられているが今まで各市や町で行われていたイベントが減って個性無くなってしまう所もあるので，すべてを大館に合わせるのではなく，田代町，比内町の住民の意見を大切にして1つでもいいから田代町，比内町の行事を取入れてほしい。1組 文化 コース

名前

○田代町の住所は「大館市」がつくかわりに，「田代町」という名前が住所につかなくなってしまうので，できれば「田代町」という名前は住所に残して欲しい。

○地図帳を変える必要がある
・田代町，比内町の学校名が変わり校門にある学校名を変える必要がある
・合併後，合併前の住所とまちがってしまえば，手紙が届かなくなる可能性がある
4組 名前 コース

庁舎

○役場が遠くなる人たちのためにインターネットやファックスなどで，用を済ませるようになればいい。→困難をふせぐため
○銀行のATMのような機械をとり入れて税を集めればいいのではないか

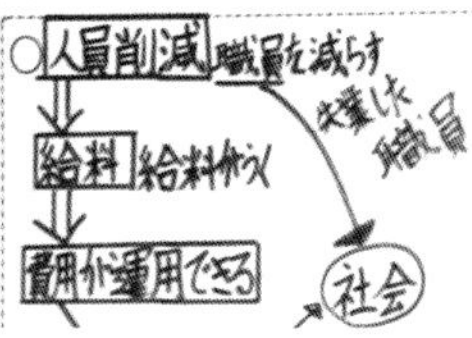

税

○合併して地方税の納期を大館市の納期に統一したら，市役所がこみあい人の苦情が絶えなくなる。だから，大館市は3月11日，比内町は4月9日，田代町は8月9日というように納期をわければいい。そうすると，苦情はなくなると思う。組 コース

この提言は1年生190名全員の考えとして，直接市長に届けることにしたが，その前に「ディベカッション」を行った。

「ディベカッション」とは，「ディベート」ど「ディスカッション」を融合させた討論会で，賛成・反対だけではなく「提言」まで進める話し合いである。

☆「市町村合併の学習」の提言のまとめ☆ （大館市立第一中学校1年 社会科）

項目	合併で変化すること	その変化による影響	生徒の提言（その影響に対する希望や対応）
議員数	○段階的に議員数が現在の64名から30名に減る。（10年後）	○人件費やその他の経費を削減することができる。 ○住民の意見が市政に反映されにくくなる。	○経費削減でういたお金は，注意をはらい，必要のないと思われることには使わず，公共施設などを充実させて欲しい。 ○議員数が減ると私たちの意見が通りにくくなるなるので，議員になった人は一生懸命働いて，私たちの意見が通るようにして欲しい。
職員数	○段階的に職員数が，現在の825名から639名に減る。（10年後）	○人件費やその他の経費を削減することができる。 ○若い人が採用されない，また失業者がでてくる。	○市が若い人の採用や失業者対策として，地域の産業に力を貸して欲しい。
学区	○合併時は現在のまま，段階的に学区は再編される。	○友達と別れ離れになる。 ○転校となると制服やトレパンなど必要となる。 ○なくなってしまう学校があるのでないか。	○学区の再編は新年度でしかも，できるだけ影響の少ない方法をとって欲しい。 ○自由学区制も考えて欲しい。
シンボル	○町章・市章は大館市に合わせる。 ○町の花・木・歌なども大館市に合わせる。	○比内町と田代町は今までのシンボルマークなどがなくなりかわいそう。 ○比内・田代の人々が大館市の市章を快く受け入れてくれるだろうか。	○大館・比内・田代のシンボルマークを合体させて，新しいマーク（新市章）をつくってみたらどうか。 3地区合体の新市章(案)
文化（お祭り）（イベント）	○現在のまま？	○現在のままではあるが，今後，大館市に合わせたイベントやお祭りが行われるのではないか。 ○大文字祭りのパレードに多くの小中学校が参加し，にぎわうのではないか。 ○新イベントができると地区の個性が失われるのではないか。	○自分たちの地区の行事にばかり参加して，新市の人々がばらばらにならないよう，市民全員に行事の呼びかけをして欲しい。 ○大館・比内・田代の伝統を生かした，新市のみんなで楽しめる新しいイベントを考えてはどうか。 ○大文字祭りや花火やアメッコ市などの祭りのサイズが大きくする。しかし，大勢の人で混雑するため，駐車場の確保や交通整理などをして欲しい。
ゴミ	○ゴミ処理はすでに大館・比内・田代が広域3地区体制で行っている。	○合併後は新しいデザインのゴミ袋ができる？ ○大館と比内・田代のゴミの回収の仕方が少し違うため混乱するのでないか。	○合併後もそれぞれの旧ゴミ袋を1～2か月は使えるようにして欲しい。 ○ゴミの回収の仕方が現在3地区で一部違いがあるので混乱を避けるよう，回収の仕方を統一して欲しい。
庁舎	○大館市役所が新市の役所となり，比内・田代の役場は支所となる。	○比内・田代の人たちは大館市役所まで遠くなる。 ○支所でも比内・田代の人たちは充分なサービスを受けられるか。	○支所でも比内・田代の人たちは充分なサービスを受うけられるよう職員はがんばって欲しい。 ○ATMのような機会を支所でも完備し，支所を充実させて欲しい。

※その他の項目について……………………「部活動の大会」・「名称(学校名・地名など)」・「保険料」・「水道料」・「税金額」・「住民負担」・「福祉関係」などの項目が生徒から出されました。これらの事象は合併により，様々な面で影響があると考えられますが，中学校の学習では困難と考え，取り扱いを避けました。

※上記の提言について……………………上記の提言は，1年生社会科地理的分野「身近な諸地域」の学習で，新聞・インターネット・広報をもとに資料集めをし，項目を絞り込み，コース別の提言に対し，クラス全体で討論した後の(6クラス190名の複数の)内容を簡単にまとめたものです。

市長に直接渡した「提言のまとめ」

3．公正な思考力・判断力を養う資料提示 …… 多面性を捉える資料

社会的事象を公正な立場から考察し，判断するためには，社会的事象を多面的に生徒が捉えなければならない。このときに学習資料は大きな役目を果たすので，指導者が資料提示の内容を分析したり，検討したりする作業が重要となる。

社会的事象の多面性を捉えるためには次のような流れと条件が考えた。

【社会的事象の多面性を捉える資料の条件】

資料を
様々な角度から
様々な立場から

・資料が複数あること
（同じような内容であっても必要）
・収集・選択できる資料
・社会の変化が分かる資料
・社会の変化に対応する資料
・感銘を受ける資料（自分との違い）
・調査の資料化，生活の資料化

多面性
を捉える
↓↓↓
より公正な判断が
できる

これらの条件から資料を精選し，学習の場で生徒に提示する。これらの条件で厳選された資料は生徒の手によってさらに選択・活用されていく。この繰り返しで，次第に資料に対する公正な思考力・判断力は培われ，自分自身の生活に生かす思考力・判断力が向上していく。ここが追究型学習の醍醐味である。追究型学習の魅力とは，単に楽しい学習をしたときにのみ感じるものではなく，学習した知識が生きて働いたときや生かせる可能性を知ったときに本当に強く感じるものだと思う。

4．学習を社会の変化への対応 ……… 最新情報の収集方法から

【社会の学習材化（地理・公民中心）】

社会の激しい変化・現実
国際化 情報化 高齢化
都市化 過疎化 多様化
社会構造の変化 複雑化

学習材としては不充分
インターネット HP新聞
テレビ番組専門誌 広報 など

指導者による学習材化
学習の意図に合う加工
子供による学習への活用

激しい社会の変化の中で力強く生きていくためには，多くの現実や資料などに触れさせなければならない。数多くの現実や資料は教師の手によって，適正な学習材化が図られ活用されなければならない。

5．追究型の学び方を学ぶ学習の充実 …… 学びのパターン化から

「生徒がどのような場面や段階で，どのような観点から学習を進めるのか。」この手だてとして「学習の手引」を作成し，「追究型の学び方」がある程度定着するまで活用させてきた。指導者の明確な意図のもと，単元全体を見通した導入をすることで，生徒自身の明確な学習課題が生まれてきた。ガイダンスに時間をかけ，学習の方法や結果に具体的で明確な見通しをもたせたことは，結果的に効率のよい学習につながっていた。

【学び方のパターン・種類(段階)と「合併」の例】

	問い方	調べ方	見方	考え方	まとめ方	生かし方
	合併で今分からないことは何か?《課題1》	新聞・広報など集めて何がどう変わるのか，内容を確認する。	集めた資料を分類し，新たな課題を発見する。《課題2》	合併によるその変化は何にどんな影響を与えるか?	その影響に対し，どんな対応ができるのか，同じ考えや違う考えを出し合う。	全体で討論し，自分たちの考えを深め，提言する。
生徒の反応	合併で学区がどうなるのか分からない。	学区は将来的に近い学校に行くようになる。	他の地区でも同じような資料がある。さらに考えよう。	(例) 学区が変わると制服を新しくしなければならない。	(例) 制服を替えなくてもいいように，区切りのよい新入生からの学区変えにしてほしい。 人数のバランスを考える。	

手引・学習訓練→なすことによって学習方法を学ぶ(学びながら身に付けていく)

6．今の追究型学習の基礎となった取組

生徒自身の思考・判断の方法のめやすとなる「資料分析の観点」及び「考えを振り返る視点」(P 70)は，多種の思考・判断の観点を簡潔にし，実際に生徒が照合しやすい言葉で提示してきたことで，自らの考えを振り返る学び方が身に付いてきた。自分の考えを振り返るという過程で生徒は社会的事象を多面的・多角的に追究でき，その思考・判断が生活と関わりをもつようになってきた。

そのため，自分を見つめる視点をかえる知識・思考・判断を引き出す自分を知る(自分と自分の回りの事象をしっかり捉える)学習が必要となった。市町村合併の学習など教科書にない内容を取り扱うのは難儀ではあるが，自分を知る学習は，現在行っている追究型学習の基礎となった。基礎的・汎用的能力の育成は，生活や将来と直結する力である。当時はキャリア教育を含めてという意識はなかったが，身に付けさせたい力として，生活や将来を意識した学習が大切なことを改めて感じている。

【用語補足解説】

※１　おおだて型学力（P38）

秋田県大館市では「大館盆地を教室に」として全小・中学校で「主体的に学び取り組む」「課題を見付け，考え抜く」「集団で学び合い，全員がゴールへ」の授業を行い，自立の気概と能力を備え，ふるさとの未来を切り開く総合的人間力を目指している。

※２　未来大館市民（P38）

就学前から大人になる過程で，段階をおって様々な実践力の基礎となる「おおだて型学力」を身に付け，ふるさとの未来を切り開いていく人間。

※３　大館ふるさとキャリア教育（P38）

ふるさとに生きる基盤を培う「ふるさと教育」とその基盤の上に自らの人生の指針を描く「キャリア教育」を融合した大館市独自の教育理念。

※４　生徒指導提要（P41）

平成 23 年に文部科学省が発行した生徒指導の全てに関する冊子。生徒指導の意義や原理から実際の取組まで 60 名以上の執筆で詳しく記述されている。

※５　単元を１サイクル型（P64）

授業は１単位時間毎で進められ，１単位時間毎に「ねらい」が設定され，基本的に「導入・展開・終末」という流れがある。このような流れを単元を通して展開していこうとする考え方である。そのために１単位時間毎の計画を見極め，単元全体の構成をしていかなければならない。単元全体の「ねらい」，「評価計画」も設定する必要がある。

「まとめ」と「リフレクション(振り返り)」の違い

「まとめ」と「リフレクション(振り返り)」の違いは，授業の構造によってはっきりします。「ひとつの答えを出すような授業」「できた／できないの結果になるような授業」では，「まとめ」が「学習課題・学習目標」を直接受けた内容になります。そのため，「振り返り」では「まとめ」と明確な違いがなかったり，感想のような内容になったりすることがよくあります。これは避けたいものです。

「何を学んだか」という意味で「振り返り」と「まとめ」が混同されてしまうと，「学習課題」が「答えを出すタイプ」の文言になってしまいます。

「学習課題」から「まとめ」に入る場面では，時間を費やし，子供から「まとめ」を引き出す必要はありません。ここは学習活動をしっかり収束させるため，短時間で，教師が何を学んだかを教える場面です。

どのような「見方・考え方」をしたのかが，「振り返り」にならなければいけません。逆に「見方・考え方」は「まとめ」にはならない内容です。「見方・考え方」は学習の捉え方であり，評価の対象にはならないからです。

学習課題が追究型になっていて，学ぶ意味にアプローチする文言になっている場合，「まとめ」の内容は上記と同様ですが，「リフレクション(振り返り)」は，「見方・考え方」に迫る内容になり，「どのように学んだか」を含め，生活や将来に迫っていける違いがあります。まとめると以下のようになります。

実行したい事項

(1)「学習課題」は追究型で，学習の性質や特徴に迫る設定をする。
(2)「まとめ」は「何を学んだか」「学習で押さえなければならない事項」を押さえる。
(3)「振り返り」は「リフレクション」と呼び，学習を生活や将来と結び付ける。

気を付けたい事項

(1)「まとめ」に「見方・考え方」をもってこない。
→教師が短時間で押さえるポイントを述べ，確認する。

(2)「振り返り」に学習の感想をもってこない。
→「見方・考え方」を中心に学びを生活や将来と結び付ける。

(3)「まとめ」と「振り返り」を同一の内容にしない。
→「まとめ」と「振り返り」をそれぞれ明確にするため，学習課題は追究型にする。

第 4 章

追究型学習でどう変わったか？

追究型の学習形態で学習を設計し展開していくと，生徒や教師集団に変化があらわれ学校自体や地域にも変化があらわれ始めました。

ただ，この学習形態を教科の枠を越えて職員全員で行うのはそれ程簡単ではなく，実現までに半年ほどの歳月がかかりました。

それは，「これまで自分で実践してきた学習形態から離れられない」とか，「新しい学習形態はたいへんである」という考えを変えることに時間がかかったからでした。

学びを将来の生き方に結び付ける追究型学習は全教科等，そして学校行事でも継続実践を訴え，常に行ってきました。

『「基礎的・汎用的能力で子供の未来を支える皆さまと共有したい」新しい学習指導要領リーフレット』(文部科学省発行)には「学校で学んだことが，明日，そして将来につながるように〈中略〉子供の学びが進化します。」「自ら課題を見付け，自ら学び，自ら考え，判断して行動し，〈後略〉」と記されています。

学びがテストや試験だけのためではなく，将来や生活という実生活につながっていることが求められています。学習したことが将来や生活につながるためには，学びの内容自体が将来につながっているか，学びを将来や生活に結び付けるかが重要になります。

【中教審答申より】「授業スタイル」

- 「授業の最後に学習したことを振り返る活動をしているか？」
  教育効果の高い学校→肯定的93%
- 「地域人材を外部講師として活用」
  教育効果の高い学校→肯定的63%

実践校では「追究型学習」=「『教わる』からの卒業」とし，内発的意欲を喚起させ，主体的に学習に取り組む形態で「基礎的・汎用的能力」の育成を目標にしました。1単位の授業やひとつの単元で，教科の必要な知識の習得に終始することなく「教科のもつ側面」から学習に迫る学習形態です。「教科のもつ側面」とは，「どんなとき，どのように生かせるか」という，前述した「学習課題の構造」にも関係しています。

「使いこなせる意識」としても「生活や将来に役立つ考え方」としても，全教科等で迫ることが「追究型学習」の考え方です。

実践校では，このタイプの学習を全教科及び学校行事等でも全職員で行うことができたのが非常に大きかったと思います。実現までに半年以上時間を費やしたことが，長いのか，短いのかは別として，全職員(50名程)が同じベクトルで追究型学習を行ったことで，生徒，学校，地域にもその影響があらわれました。

これは，追究型学習がキャリア教育とリンクする学習形態だからです。本章では，その変化について詳しく解説します。

1．子供の変化

(1)普段の各教科等の授業から

基礎的・汎用的能力を各教科等で身に付けることを目的とする追究型学習では，

実践1「本時のねらいを達成する追究型の学習課題の設定(意図的引き出し)」
実践2「授業の中に追究・実験・比較・検討・発表などの学習活動の導入」
実践3「提示課題を用いて，本時のリフレクション(次への振り返り)」

という3つの実践を大切にしてきました。これらを次の①～③の「学習者のめあて」を用いて各教科等の学びに横断的に活用実践してきました。①～③は基礎的・汎用的能力そのものです。

学習者のめあて

① 多様な他者の考えや立場を理解し，自分の考えを正確に伝える。(人間関係形成)
② 自分の可能性を理解し，主体的に行動する。(自己理解・自己管理)
③ 課題を発見・設定し，比較・検討し，解決する。(課題対応)

「学習者のめあて①」は教科等によっては実践しにくいという考えもありましたが，実践1～3のように単元や題材の捉え方の発想を少し変えるだけで，より深い学びにつながることを教師も生徒も実感しました。追究型学習では，学習する内容そのものが学習課題になるのではなく，その学習が「将来や生活にどうつながっているのか」をポイントにしてきたからです。

多様な他者の考えや立場を理解する

多様な他者の考えを聞くことで，自分の考えをさらに明確にすることができます。教師と生徒のやり取りではなく，生徒と生徒のやり取りに向かわせることで，力強い人間に成長していきます(写真上)。

また，生徒指導の機能が十分生かされていれば，子供たちは安心して発表をすることができるようになります。やがて，全員が意見を言えるようになっていきます(写真下)。

一人一人が認められる環境づくりが学習で機能する。そこには生徒指導の機能と教師の巧みなスキルがある

自分の考えを正確に相手に伝える

「学習者のめあて①」では「自分の考えを正確に伝える」ことも鍛えてきました。

小学校6年生の将来なりたい職業は10年以上連続して男子は「サッカー選手」女子は「パティシエ」でした。では一流の選手・パティシエになるためにどうすればよいのか？　一流の専門家に聞くと「一生懸命サッカーの特訓を行っても，一流にはなれない」「一生懸命レシピの練習をしても一流にはなれない」と言います。一流になるために必要なものとして共通して言われたのが「言語表現」でした。「多彩なフォーメーションをどう表現し，説明できるか，理解し行動できるか」「味わいをどうやって言語で表現し，伝えることができるか。おいしいだけではない」という「言語表現」ができなければ一流にはなれないのです。

言語を使って自分の考えや状況などを分かりやすく，正確に表現することの重要性は教育の現場でも同様であり，将来や生活にもつながる力といえます（写真上）。

追究型学習では「実践2」として，いかに正確に分かりやすく表現するかに話し合いの焦点を当ててきました。市内の小学校では「基本話形[1]」を使って，話し合いの学習訓練を行っています。話し合いを活発にするためには，話し合いのための訓練も必要なので，中学校1年生段階でも，小学校で学んだ「基本話形」を活用してきました。ただし，中学校2・3年生では「話形」に頼ることなく自分自身の言葉で表現することにし，短時間での話し合いの時間を重視してきました。

この繰り返しによって，子供たちは話し合いの場面では，「はい，分かりました」で終了するのではなく，双方向から繰り返し何往復も考えを言えるようになってきました。教師集団が「できないからやらない」「難しいからやらせない」という発想をもったままでは，このような状況にまでは育ちません。

話し合いというからには「問いかけ」「応答」という一往復では終わらせない約束をしてきました。自分の考えを正確に相手に伝えるために，相手と自分の間で何往復かの言語表現を繰り返すことで，子供たちは「はい，分かりました」だけではないやりとりが身に付き，学年段階は関係なく，授業の中でも，生活の中でも堂々と自分の考えを言えるようになりました。まさに追究型学習が基礎的・汎用的能力（この場合は人間関係形成力）につながることの実証といえます（写真下）。

訪問者の突然の難題にも考えを次々に述べる

課題を発見・設定し，比較・検討し，解決する

「実践２」及び「学習者のめあて②・③」については，どの授業の中でも，「任せるところは任せる」「自力解決」で行ってきました(写真上)。

教師が安易に「答え」や「ヒント」を与えるのではなく，よい意味で「困らせる」「考え続けさせる」スタンスが大切です。

これは「将来，壁にぶち当たっても，あきらめず，何らかの方法で，それを乗り越える人間を育てる」という観点から行った実践です。この観点は世の中を力強く生きていくことを見据えているため，小学校低学年からでもはじめておきたいところです。「任せるところは任せる指導・支援」は学年・教科関係なく実践できます。

(２)追究型学習を学校行事へ(ぶっつけ本番の対話集会の実践から)

追究型学習は教科だけでなく，学校行事，特別活動，総合的な学習の時間でも行ってきました。赴任当初は，「そんなことはできない」「やったことがない」という職員の反応もありましたが「まずは取り組んでみよう」ということで，開校記念集会の，一方的に講話を聞き，決められた子供が感想発表をするというパターンを止め，話し合いを導入しました。「450名以上の子供が話し合うのは無理」という職員も少なくありませんでした。

まずは，全校生徒に「縦数列」でも「コの字」でもなく，話し合いができるよう「半円形」に並んでもらいました(写真下)。

全校生徒が「半円形」に座り，話し合いの準備をした（2018年５月）

開校記念集会の流れとしては，本校卒業生の有識者に本校のよいところ，悪いところを忌憚なく述べてもらい，それに対し生徒が考えを述べるだけ(「本校を考える」)です。
「変な意見が出てきたらどうしますか」とか「失敗したらどうしますか」という声もありましたが，まずは，本当に本校の生徒は話し合いができないのかを確認したかったのです。

ぶっつけ本番の試みでしたが，この集会で唯一気を使ったのが，指名までの時間でした。「発問し，だれかが挙手したらすぐ指名」ということをなしにしました。「とにかく待つ」「気まずくても待つ」スタンスです。具体的には，15～20秒待ちました。これは結構長い時間に感じます。

450名もいるとだれかが，勇気を出してぽつんと発表するものですが，待ち続けることを事前に生徒に伝えておきました。「全員が主役です。先生方は手を挙げても，すぐには指名しません。待ち続けます……。互いの意見を尊重しましょう。」と。

中学３年生は８年前（小学２年）の状況を振り返り，互いに話し合いを進めた（2019年５月）

もうひとつの手立ては，発問の前に「キャリアノート」を使って，これまでの成長を想起しながら隣の人と意見を交換させたことです(写真上)。

その上でいよいよ「自分の考えを述べてください」の発問をしました。最初の数秒は，慣れていないせいもあり，450名中２名ほどしか手が挙がりませんでした。しかし，20秒ほど待ち続けると，少しずつ挙手が増え始め，半分くらいの生徒が挙手しました(写真左上)。

発問後待ち続けると徐々に挙手が増えてきた

最初は恥ずかしがっていたが，徐々に「ノー原稿」で堂々と意見をつないでいくことができた

これまでは全校で「ぶっつけ本番」を行うことが少なかったため，子供たちは大人数の前で自分の意見を言うことにはかなり抵抗があったようです。

最初は，キャリアノートを見ながらの発表でしたが，徐々に「ノー原稿」で発言できるようになっていきました。

意見をつないでいくことが，初めてでもできたのです。これはもともと持っていた子供たちの素質だと思います。この「対話集会」が，大規模の中学校でもできることが証明できました(写真左下)。

何よりも「自分たちの大館市・学校のことについて，学年関係なく話し合いができ，今後の生き方を考え直すことができたことがよかった」という反応が多かったことが嬉しかったです。この学習形態は，繰り返し続けることが成長のために大切です。

さすがに450名以上の生徒が全員話すことは無理です。それは教室でも同様で，全員が発表すればよいということではありません。

いかにしっかりと相手の意見を聞き，納得したり，付け足しをしたり，別の意見を述べたりすることができるかに焦点を絞り学習を進めることに価値があります。

そのためには，次のような条件をクリアしていくことが求められます。

- 生徒指導の機能が浸透していること ＝ 有効に機能している。
- 話し合いや活動の視点が明確であること ＝ 子供から引き出した内容である。
- 生徒同士の聞く姿勢ができていること ＝ うなずいて，しっかり反応している。

追究型学習の本質である追究場面は，ひとつの手立てや理論だけでは成立しません。これらの条件が十分クリアされていれば，追究活動は各教科等で深めることができます。

（3）対話集会（学校行事）の繰り返しの効果

追究型学習は各教科等で普段から行っていましたが，全校で一斉に行う学校行事は回数が限られます。しかし，学校行事は，普段からの学習の積み重ねを発揮するよい機会です。対話集会からはじまった全校での追究活動によって，日を重ねるにつれ生徒の変化が明確にあらわれてきました。

そこで，次のステップとして総合的な学習の時間で調べ，体験してきた内容を伝え，討論する取組を行うことにしました。

学年を問わず少人数で対話が充実するようにした。30会場を準備（2019年10月）

今度は体育館ではなく，校内の教室（特別教室を含む）を全て使い，発表を準備し，少人数でより深く討論をすることを考えました。

生徒は，発表を聞き，「はい，分かりました」ではなく，「○○について，○○のようなことが分かりましたが，私は○○のように思っています。どうですか？」というように，討論としてつながる反応をすることを訓練してきました。この対話集会では，話し合いが何往復かできることが前提条件でした。

討論会は30分で区切り，生徒は自由に聞きたい発表へ移動する形式を取りました。

参加者の生徒が特定の発表に偏る心配がありましたが，結果として，それぞれの発表会場に満遍なく参加者が散らばりました。学年の壁についても心配しましたが，これについても教師サイドの心配は無用でした。学年関係なく，少人数の中で和やかに対話でやりとりが行われていました。

子供に任せるところは任せる。このことを学校全体で繰り返してきた結果，話し合いの形はかなり仕上がってきていました。また，自分自身を思いっきり表現しようとする生徒も数多くあらわれてきました。

ほぼぶっつけ本番。そのため疑問をすぐにぶつけ合い，互いに理解を深めることができた

「追究型学習を学校行事でも」と考え進めてきましたが，「本質的にどう追究していくか」について，生徒自身が，比較したり，検討したり，実際の結果を聞いたり，実際の話を聞いてみたりすることは何よりも大切でした。追究型学習では，基礎的・汎用的能力の育成もしています。常に主体的に学習を進め，力強く生きていく人間の育成が根本にあるのです。

「できないから行わない」という発想には何の進展もありません。「まずは失敗してもやってみましょう」というスタンスが，この対話型集会を成功に導いたのだと考えています。

生徒は任せられるといくらでも自分を表現しようとする

堂々とした話し方は説得力がある

　このような集会だけでなく，学校行事においても全校の中で発表する機会を増やしてきました。また，失敗しても大丈夫ということも常に伝えてきました。

　追究型学習では自分の考えを堂々と述べ，力強く生きることを目指しています。これまで述べてきたように，生徒指導の機能も含め，互いに認め合うリスペクトアザース[2]の精神の中では，子供たちは，より自分を堂々と表現しようとします。自分が多くの人から認められると自信が湧いてくるのです。

　追究型学習は，基礎的・汎用的能力の育成を求めている以上，実践を続ければ写真のような，活力のある生徒が数多く増えてきます。

　活力のある話し方やボディランゲージは，普段の学習でも使われ，よい効果を与えていました。

　その結果，普段の授業はもちろんですが，「全校の前で子供に任せる」という設定ができるようになってきました。この設定ができるようになれば，子供たちの内面の可能性を最大限に発揮させることができます。

「安心して発表できる環境づくり」から始まり「堂々と発表する子供づくり」までの道のりは，平坦なものではありませんでした。しかし，全職員が同じベクトルで，団結して教育を進めると，子供たちの様子を変えることができるのです。

活力があり，堂々と自分の考えを述べる子供にするためには

- 手を挙げてもすぐに指名しない　→　全員が認められる集団づくりをする
　→　同一人物がいつも発表する固定的な集団にしない。
- 相手の目を見て聞く　→　相手をリスペクトする。→ しゃべっていい雰囲気へ
- 相手の話をよく聞き反応する　→　よく聞いてもらうと話すようになる
- 子供に任せる場面を多くする　→　任され，自分で決めたことはがんばる

　追究型学習でのベースとなる「生徒指導の機能」を機能させる日ごろの取組や追究型学習において「相手をリスペクトする」「相手に正確に伝えるスキルの習得」などの積み重ねで，子供たちの表情や表現能力も相乗的に向上しました。

2．先生の変化

教師集団が変化し始めたきっかけは，特別な時間として6校時に設定した校内全員研修でした。職員会議だけでは，なかなか共通理解は難しいです。

じっくりと「追究型学習」について研修し，演習を行ったことが，共通理解に迫る大きな手立てでした。

【「追究型学習＝教わるからの卒業」に関する校内全員研修会】

この年度にはじめて赴任した先生もいる。まずはじめに「追究型学習」の必要性について講義し，内容を説明した
その後実際に追究型の学習課題づくりをしてみた

大館市立第一中学校では，6校時をカットして校内全員研修会を行いました。「1単位を削ってでも，この研修会は価値ある内容であること」「追究型学習を身に付ければ学習効果が上がること」などを確信し，これを進めることにしました。

この前年度から継続している「追究型学習」は，2・3年生の生徒には浸透していました。しかし1年生や今年度赴任の先生方にはレクチャーと演習が必要です。はじめに「追究型の学習課題」の構造について学び共通理解を図り，その後，「協働」の演習に入りました。

職員全員が教科の枠を越えて，追究型学習課題の設定に取り組みました。

悪戦苦闘するかに見えた研修であったが，留任の先生方が率先して新任の先生に和やかな雰囲気で働きかけをしていた

前述の通り，単なる疑問型の課題をつくるのではありません。単なる疑問型の課題であれば，授業が途中で完結してしまいます。いかに追究を進め，リフレクションに学習課題が到達できるかが，腕の見せどころとなります。最初は理科の単元を利用し，教科や専門を越え自力で追究型の学習課題を設定する演習を行いました。初めて経験する先生にとっては非常にレベルの高い，難しい演習ではありましたが，これができれば，子供たちの反応(学習への食いつき)が全く違ってくるのは実証済みです。そして，深まりのある学習の中で，学習の定着の度合いも全く違って(向上して)きます。そのための研修でした。

「追究型学習課題」作成の演習。先生方も次第に自力で作成しようと真剣に取り組んでいた

【校内研修会】約70分

参加者 …………………… 本校教員全員(専門教科関係なく)
指導者 …………………… 校長
進行 ……………………… 研究主任・学習部長

【流れ】

1　研究概要の説明(追究型学習の必要性について)
2　追究型学習課題の構造について
3　追究型学習課題の作成の仕方について
4　一人(自力)で学習課題を作成
5　グループ討議(追究型になっているか)
6　全体発表と全体討論・検討

今回は教科の枠を越えて理科の学習課題を設定
自作した学習課題を発表し，検討をした

同じ単元での学習課題を発表し，その内容を吟味し合いました。初めての先生にはたいへんな研修でしたが，なんとか興味深い学習課題を設定できました。「1単位時間(6校時)を充当しても行いたい有効な研修会だった」という感想もあがりました。

このような取組があるからこそ，先生方は発想を柔軟に変化していくことができます。普段の研修会のみで変わるのではなく，このような全員研修会がきっかけとなって，先生方が互いに変わっていくのです。

この研修会を受けたことにより，普段の授業でも追究型の学習課題設定ができるようになり，普段からの，全教科での実践が，互いに相乗的な効果を上げました。先生方は年齢や経験，教科にとらわれず，積極的に授業改善に取り組もうとするようになりました。中学校でもこれだけ変われるのです。

【「追究型の学習課題」へ近づいていく学習課題・目標の例】

追究型学習課題には理想の型があります。その構造を捉える研修(理科を例に)を進めたのが今回の研修会です。

【理科の例】

1	**△「塩酸と水酸化ナトリウム水溶液を混ぜると，どうなるだろうか？」**
2	**○「塩酸（HCl）に水酸化ナトリウム水溶液（NaOH）を混ぜていくと，水溶液の性質やはたらきはどう変化するのだろうか？」**
3	**◎「塩酸（HCl）に水酸化ナトリウム水溶液（NaOH）を混ぜたときの反応は，どのように利用（有効活用）されているのだろうか？」**

※○印は「追究型学習」に近い課題，◎は理想型

「１△」の課題の答えは「中和する」で，授業の途中で解決し，完結してしまいます。もちろん，１から３は学習のまとめ(教師が押さえるべき事項)は同じ「○○と○○を混ぜると中和し，○○になる」という内容になり，違うまとめにはなりません。

しかし，◎は生活や将来につながる学習課題です。基礎的・汎用的能力の育成に直接結び付けているのが「３◎」の課題設定です。

「２○」の学習課題は，性質やはたらきに迫ることができます。しかし，生活や将来とは結び付きません。

このような学習課題は毎回設定するわけではありません。だからこそ単元の中でどこを追究型学習にするか, 独自の「単元の再構成」がポイントになります。それこそがカリキュラムマネジメントです。実態・状況にあわせた単元計画をより大切にしなければならないのです。

学習指導要領の基本としつつ，単元を子供の実態に応じて事前にレイアウトし，計画を立てる力＝「単元構成力」が追究型学習では要求される。

3．授業の変化

追究型学習の実践の結果，授業スタイルは大きく変わりました。全て意図的な変化です。

（1）子供から学習課題を引き出す。
（2）方法と結果に見通しをもたせる。
（3）子供主体の活動を中心とする。
（4）「まとめ」を短時間で行う。
（5）「リフレクション」を必ず行う。

生徒主体の学習活動。任せるところは任せる
話し合いで比較・検討・確認などを行う

● 学習課題を追究型にするため吟味するようになり，結果として子供たちの学習への食いつきが飛躍的に強い授業になってきた。

● 発問した後，すぐに特定の人を指名せず，ゆっくり待てるようになり，一人一人が生かされるようになり，結果として発表者が増えてきた。

● 子供主体の活動を中心とし，指示や伝達する場面が少なくなってきた。教師が子供に任せるところは任せることができる授業になってきた。

●「まとめ」を教師が短時間で明確に行うことで，ブレのない授業になってきた。

● 1単位時間単一の授業計画ではなく，単元を通しての学習計画をつくるようになり，追究型学習・練習型学習を明確に使い分けるようになった。

● 単元のレイアウトによって，単元を通して身に付けさせたい目標のための授業改善が行われるようになり，一人一人の個性がより生かされる授業になってきた。

● 学習課題を子供から引き出す技が向上し，短時間で意図的な内容を導き出す展開の授業になってきた。

※「授業が一番大切である。**授業でできなかったことを宿題や課題で補うのは，本来の姿ではない**」ということも浸透し，「授業で勝負」という授業スタイルができてきました。

4．学校の変化

地域から認められる学校へ……。活力・団結力を生徒像に前面に出し，基礎的・汎用的能力を全教科等で身に付ける実践を行ってきました。「何かしらの壁にぶち当たっても乗り越える力強さ」を目指してきました。

これを「本校らしさ」と考え，「一中(大館市立第一中学校)らしさの追究」として全校で取り組んできました。

地域に直接何かができても，できなくても，生活や将来につなげる追究型学習は学校の在り方にも大きな影響を与えることになりました。

全校生徒一人一人が生かされた圧巻の歌声。活力・団結力による「一中らしさ」の実現

上の写真は，「合唱祭」の全校合唱の様子です。保護者・近隣の地域の方々も招き，音楽専用ホールで行った学校行事です。

毎年素晴らしい歌声で聴き手に感動を伝えていましたが，ここ数年，追究型学習の延長ということで，練習時間を大幅にカットしていました。自分で考え，力強く生きていくためです。練習を十分に積んで成功することも大切ですが，限られた時間の中で失敗を恐れず全力で自ら行動する中学生を目標に置いてきました。

しかし，自ら取り組んだ「合唱祭」の全校合唱は，これまでにない環境の中で臨んだものの，美しいハーモニーと圧巻の声量で観客を圧倒しました。何よりも生徒たちが時間の少ない中で真剣に取り組み，これまでにない感動を抱いたことが嬉しかったです。

追究型学習は，基礎的・汎用的能力の育成というキャリア教育の目標とリンクしています。

基礎的・汎用的能力は，何にでも応用でき，力強く生きていく基礎になります。学校(全校生徒・教職員)が追究型学習を理解し，実践してくれたことで，生徒・教師のエネルギーが大きくなり，常に学校全体で動く姿勢ができていました。

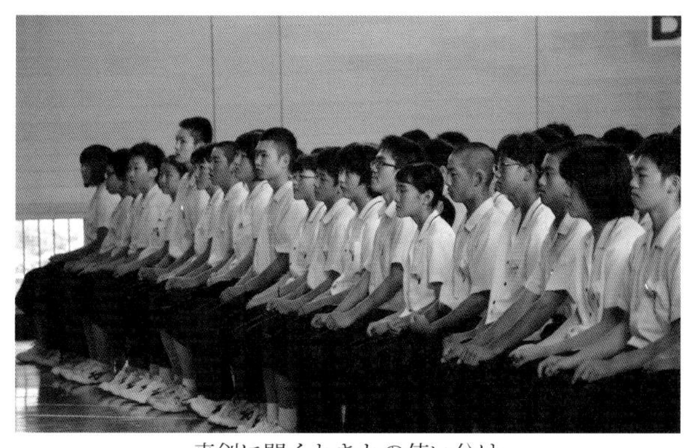
真剣に聞くときとの使い分け

追究型学習で，「活力のある子供」が増え，同時に「堂々と行動する子供」も増えてきました。

追究型学習では，相手をリスペクトすることが学習の前提になっています。そのため，左の写真のように相手の話を真剣に聞くことができる子供が飛躍的に増えてきました。活力ある明るいにぎやかさとまじめさが同時に学校全体に備わってきたのです。

地域行事「大文字まつり」で大文字踊りを堂々と笑顔で披露

学区内の保育所の園児と交流

追究型学習では「大勢の人の前でも堂々とゆとりをもって自分を表現すること」も目標のひとつとして目指してきました。

例年行ってきた「大文字踊り」の参加の際にも「何のために参加するのか」ということを集会で改めて考えさせました。

開校記念集会の際にも同じく「大館のために何ができるか」という討論をすでに行っていたため，短時間で「自分たち中学生が地域に元気を与えたい」という反応を違和感なく，素直な気持ちとして引き出すことができました。自分から進んで参加する行事は地域に元気を与えようとする気持ちが生徒の表情から伝わってきました(写真上)。

また，左の写真は，学区内の保育所園児との交流で互いに訪問と受け入れを行った様子です。追究型学習では，事象を多面的・多角的に捉えることを大切にしています。生徒たちは園児の目線，園児の反応，園児への接し方などを感じ取ることができていました。また普段，私たち教師が見たことのない生徒たちの優しい表情を多く見ることができました。

5．地域との関わりの変化

学校は，地域にエネルギーを与えることができます。

地域を支える強い気概は，基礎的・汎用的能力から生まれます。追究型学習ではその基礎的・汎用的能力の育成に中心を置いています。追究型学習課題を進めてきたことで，以下のように，地域にも影響を与える子供・学校になってきました。

地域との関係性づくりのため，次のような取組も行いました。

「活気のある子供」
「堂々と自分の意見を言える子供」
「困難を乗り越えようとする子供」が

アポなし地域訪問で元気を与える

学校への要望聞き取り

より数多くの訪問を可能にするため，事前連絡なしの訪問を行いました。

学校で作成した「大館市紹介パンフレット」を渡し，学校への要望も聞き取りしました。もちろん不在宅もありましたが，不在の場合はポストにパンフレットと訪問理由のお便りを入れておきました。不在者とは後日連絡を取り合ったり，近所の方に配布をお願いしたりしました。

進んで取り組んだ地域伝統行事

様々な人と会話をすることで，中学生たちの基礎的・汎用的能力はさらに磨かれました。

中学生たちから声をかけられた地域の方々は「**自分の子供はもう学校にいないけど，学校祭や運動会も見に行き，参加したい**」という前向きな話をされていました。実際に「学校の様子が見たい」ということで，徐々に訪問者が増え，普段の学校を見学するために集団で訪れてくれることもありました。

地域の伝統行事は，大人の後継者がいないため，中学生が先に後継となり，保存会の方々と協力して「獅子踊り」を踊り，詩，衣装，太鼓，笛などを今後引き継いで行くことにしました。これも追究型学習の一環です。「地域に残る伝統芸能を絶やしてはいけない。何とかしよう」という気持ちが，基礎的・汎用的能力の育成につながっているのです。

【地域との関わりとたくましく生きる人間として……地域のために何ができるか】

学校の近くには，企業的農業を営む広大なファームがあります。このファームでは，毎年「ねぎまつり」を行っており，地域住民だけでなく，遠方からも参加者があります。「ねぎまつり」という名前ですが，内容はねぎ掘り(ねぎの収穫)です。

そこで社長にお願いし，中学生に「まつり」の運営を手伝わせてほしいとお願いしたところ，ご快諾いただき，まつりの運営に少しでも関わることになりました。参加ではなく，運営です。

日ごろから「地域のために何ができるか」というテーマを設定していたため，生徒たちは,すぐ自分たちで考え「のぼり」を作成し,「ねぎまつり盛り上げ隊」と称して即興でオープニングを行うことにしました。

「参加」ではなく「運営」ということをきちんと理解し，自ら収穫したねぎを購入者に運んだり，積み込んだりと積極的に働きました。

まつりが終わると今度は，収穫したねぎで様々な料理を作り，地域の方々を招き,野外での調理「なべっこ」を行いました。これも追究型学習の一環でメニューは自分たちが考え，調理しました。

参加ではなく運営。自ら一輪車でねぎを運ぶ中学生

「ねぎまつり盛り上げ隊」の即興オープニング

自分たちで考えたねぎ料理を振る舞う

【品川駅前（修学旅行先）で呼びかけ】

修学旅行 訪問先で秋田発信

昨年度は小中16校、主体的にPR

パンフ配布、東京で苦闘 ■ 地元産品販売も

朝日新聞より

呼びかけをする生徒

修学旅行では，地域を少しでも盛り上げようと，作成した大館市のパンフレットを都内で配付する活動を行いました。この活動は生徒からの提案で「地域のために何ができるか」という意識で主体的な活動が行われました。単にパンフレットを渡すといっても，受け取ってくれない人もいます。また配布自体恥ずかしさを伴います。そのような困難の中で活動すると，たくましく生きる人間になっていきます。これも追究型学習のひとつの形です。

【地域全体で避難訓練・パーテーション作り・非常食調理】

2016年（平成28年）7月3日（日曜日）

大館市 下川沿 地域主催で合同避難訓練

防災力強化へ「一体感」

子ども含め 400人参加

余震から身を守り学校へ

下川沿地区合同避難訓練
平成28年7月2日

北鹿新聞より

地域全体で防災訓練

「地域のために何ができるか」このテーマと「力強く生きる人間へ」のもと，追究型学習の一環として，保育所・小学校・中学校・公民館・地域住民合同の避難訓練と防災訓練を行いました。ここでも，活動だけではなく，この活動がどう地域に影響を与えるかを考え，大人との間で避難の具体的きまりを確認し，マニュアル化しました。

下川沿中全校生徒が継承

川口獅子踊り

若獅子たちが地域に力

—地域の未来を創る— 第6部「れい力」

攻め人 守り人

「獅子の子は 生まれておりれば頭ふる われらもみまいに頭ふる」。毎年お盆になると、威勢のいいおはやしや歌声が大館市川口地区に響き渡る。下川沿中学校（小林一彦校長）の全校生徒51人が、地元の伝統芸能「川口獅子踊り」を受け継ぐため練習に精を出している。全員で取り組むことで地域とのつながりがより強固になり、愛郷心の醸成にもつながっている。

踊りは戦争の影響で昭和15年に一時は途絶えた。継承のため同49年に青年会らが保存会を結成。以来、伝承や先祖供養などの意味を込めて、毎年お盆に演舞を披露してきた。地区の人口減少で踊り手が減ったことから、同62年に同校に協力を依頼。生徒たちが獅子踊り、川口小学校児童が奴踊りを受け継ぐようになった。

下川沿中は平成24年度まで、有志生徒が夏休みに保存会から教わり、地域の催事施設などで披露していた。25年度に「自分たちも地域の一員。全校で、みんなで伝統を受け継ごう」と声が上がり、全員が賛同した。

9月の発表会で地域住民に練習の成果を披露（下川沿中）

小松原会長㊧の指導を受け練習に励む生徒たち（下川沿中）

メモ

北鹿新聞より

【中学生による地域伝統芸能継承】

P94で紹介した，地元の伝統芸能の獅子踊り。この伝統芸能を保存する後継者がいなくなったことを受け，中学校で取り組むことにしました。

この取組も「地域のために何ができるか」というテーマの中で行われ，学校祭でも，その豪快な踊りと笛，太鼓を地域の方々を招き披露しました。

地域の方々からは，様々な感謝の言葉をいただき，生徒たちも充実感を得ることができました。

地域の方々による浴衣の着付け

【地域ボランティアによる浴衣の着付け】

P93に示した「大文字踊り」は，任意参加ですが，回を重ねるごとにほとんどの生徒が参加してくれるようになっていきました。

家庭科の実習では，10名程の着付け外部ボランティアの方々から浴衣の着方を教わりました。１年生の男女全員に着付けを行っているため，２・３年生は着方を知っており，自分で浴衣を着て「大文字踊り」に参加しました。

地域の方々は中学生のためにという気持ちで着付け教室を行ってくださっています。

討論型の全校鳳雛講座（事前準備なし）

【全校での討論会を複数回設定】

本校では「鳳雛（ほうすう）講座」という，地元で仕事をしている方々を招いて講話を聞くという活動を９年で200回以上行っています。

１回の講座の人数は50名程ですが，追究型学習の一環で全校生徒でも話合いができる実践を行ってきました。

事前準備なしの「全校鳳雛講座」は年２回企画・実行することができました。

地域との関わりを大切にしているとこのようなこともありました……。

【確かな行動をとった中学生と先生方の連携による火災回避事案】

2016年（平成28年）3月6日（日曜日）

すわっ、火事か！

連携プレーで住人守る

大館下川沿中野球部の8人

「善行」を市教委が表彰

一歩間違えば火災につながる可能性のあった高齢者宅を守ったとして、大館市教委は下川沿中学校（小林一彦校長）の1、2年生8人に「未来大館市民賞」を授与した。生徒の善行を受けて創設した賞。4日にプラザ杉の子で授賞式が開かれ、生徒たちは「これからも地域のためにできることを全力でやる」と決意を語った。

表彰後、市教委関係者と記念撮影する生徒（プラザ杉の子）

受賞したのは、2年の小畑祐真さん、伊藤光輝さん、北林勇海さん、佐藤創紀さん、1年の虻川優心さん、秋田郁弥さん、小林空雅さん、藤岡快斗さん。全員野球部に所属している。

冬休み明け、練習を終え一緒に下校していた8人は、焦げ臭さと、電気が付いていない真っ暗な民家で火災報知器が鳴っているのに気づいた。「火事になりそうだ」とすぐに4人が学校へ連絡に走り、4人は残って現場の確認を続けた。教員らが駆けつけ大きな声で叫ぶと、住人が出てきて、「鍋をガスコンロにかけたまま、部屋で寝ていた」と話したという。

当時部屋には煙が充満。火災につながった可能性も……。学校は学区内の地域

3／4 未来大館市民賞 受賞

北鹿新聞より

平成28年1月夕方，野球部の活動を終え，そのうち○○方面へ８名はそろって帰宅しました。隣接する小学校付近で，焦げ臭い臭いを感じ，その発生元の家屋を発見しました。「確かここは，おばさん一人暮らしだ。」（アポなし地域訪問で知っていたのです。）

電気はついていなく真っ暗でしたが，家庭用火災報知器の音もあったため，３名は現場に残ることにし，すぐに５名が中学校職員を呼びに走りました。すぐに４名の教諭が現場に駆けつけ，鍵の開いていた玄関から数回叫びました。

少ししてから電気が付き，火災用報知器の音も消えました。焦げ臭い煙の中から一人暮らしのおばあさんが出てきて「あんだがだ，だれだえ」「中学校の職員です」「なべに火をかけだまんま，寝ってしまった。死ぬどごろだったあ」。

次の日，学校に東京在住の娘さんから感謝の電話がありました。翌々日には娘さんが学校を訪れ泣きながら感謝の言葉を述べていました。「市役所にこの善行をお話しする」とのことでした。未来大館市民賞を８名全員が受賞しました。

※これまでは高齢者宅を紹介してもらいそこに訪問するという形でしたが，この年は，「地域訪問」として，学校の近くの各家庭に全校生徒が地区ごとのグループを作り「地域のために何ができるか」を掲げ，アポなしで訪問し，中学校のPRのリーフレットを配り，中学校への要望も聞くという活動を行っていました。今回の家庭も秋に訪問した家でした。そのときも，玄関に鍵がかかっておらず，数回叫んだがだれも出てきませんでした。この件で，住んでいるのが耳の遠い一人暮らしのおばあさんだったことをすでに知っていた中学生のファインプレーでした。

これらの実践は，地域との関わりで生徒たちが地域を変え，地域も生徒に対して関わりをもってくれるようになった内容です。アポなしの地域訪問では，玄関先で「うちは，小学生も中学生もいないので来なくてもいい」と言われたり，門前払いされたりすることもありましたが，次第に地域の方々も「ぞうきんの寄付」など，学校へ協力してくださるありがたい行動もみられるようになってきました。

子供も先生も授業も学校も地域も，追究型学習の積極的実践で変化してきました。その道のりは決して短いものではなく，正直平坦なものでもありませんでした。

それでも追究型学習を訴え続け，確かな変化が見られたのです。

【子供たちは】

●よりたくましく，活気があり，より堂々と活動し，自ら解決していこうとする姿勢になった。

●他者の意見や考えをよく聞き，リスペクトし，自分でも生かそうとするようになってきた。

●学習や生活に対し意欲が非常に高まってきた。

●追究型学習スタイルが身に付き，自然に「リフレクション」という言葉で，生活や将来と結び付けていた。

【先生方は】

●追究型学習の必要性を理解し，単元計画のもと，積極的に取り組むようになった。

●よりぶれのない，深まりのある授業を行い，子供たちを引き付けるようになった。

●子供の反応に大きな変化が見られたため研修で学ぶことに意欲的になった。

【授業は】

●学習課題の意図的な引き出し，リフレクションが行われ，より内発的学習意欲を喚起する授業となった。

●先生方集団が各教科等で一斉に追究型学習を行っているため，同じパターンの学習形態が確立された。

【地域や地域との関わりは】

●「活動あって学びなし」にならないよう，事前事後の活動やリフレクションを大切にしてきた結果，地域の目が学校に協力的になってきた。

●「地域のために何ができるか」というテーマで取り組んできた結果，逆に地域の方々も「自分の子供がいなくても学校のために何かできないか」というスタンスに変わってきた。

●生徒に「地域のために何ができるか」という意識が身に付き，地域と関わることに積極的になった。

このような変化は，一朝一夕で得られるものではありませんでした。いかに根気強く学校が頑張ることが大切かということの裏返しでもあります。

【数学科3年「2次方程式」の授業から】

以前から追究型学習に否定的な教諭がいました。「数学は教え込まないと力が付かない」という発想でした。すでに採用10年目で，授業はテンポよく教え，説明し，評価問題という型にはまっていたのです。

数回授業を参観したところ「理論で分かっていても，やはり学習目標はできるが追究型学習課題は無理」ということでした。

数回目の授業参観の時，教諭は方程式の説明の時に**「この式をもっと整理できないか？」**と発問。続いて**「もっと美しくできないか？」**と発問したのです。私はこれこそが追究型学習課題になることを伝え，決して難しいことではないことを確認しました。その後の授業は変わりました。

【用語補足解説】

※1　基本話形（P80）

話し方についてのパターンを短い例（言葉）で示したもの（表）である。「賛成」「他の意見」「付け足し」「質問」などのとき，どのような「話し方」をすればよいか基本話形（の表）を参考に子供たちは意見を交わしていく。基本話形があると子供たちはスムーズに話合いができる。特に小学校低学年から活用されているが，中学校では，基本話形から離れて，自分なりの表現で話すことに力を入れてきた。

※2　スペクトアザース（P85）

日本語としてリスペクトを一言で説明すると「尊敬すること」であるが，リスペクトアザースとして，もう少し詳しく解説すると次のようになる。「相手を重んじること」「その価値を認めて敬意を表すこと」「価値があるものに対し，その価値を認めること」「尊敬して敬意を表すこと」である。

第 5 章

今後のさらなる展開に向けて

「追究型学習」＝「『教わる』からの卒業」を簡単にまとめると次のようになる。

【追究型学習の必要性・考え方】

1．「追究型学習」では，内発的動機付けを喚起することからスタート
2．使いこなせる生きた知識でないと記憶からすぐに消え去る。
3．学習は「ジグソーパズル型」から「ブロック型」へシフトが必要である。
4．学習の目的をテストや試験にしてはならない。
5．キャリア教育は全教科等で普段から行うことができる。
6．基礎的・汎用的能力は追究型学習で鍛えられる。
7．アウトプットされた知識はより長く覚えている。

【追究型学習の方法】

8．追究型学習では，比較・検討・対話・実験・確認等，主体的追究場面が設定されていることが学習の前提条件である。
9．追究型学習では自己の生き方を見通すことを大切にしている。
10．教科の枠を越えて「学校全体・全教科等で同じ学習形態」が大きな効果を上げる。
11．「答えがない」「答えがいくつもある」「答えがひとつでもアプローチがいくつもある」という発想・展開が「『教わる』からの卒業」＝追究型学習である。
12．教師のしなやかな発想が追究型学習をつくる。
13．学習課題を意図的に子供から引き出すと，内発的動機付けが高まる。
14．目的はテストのためではないが，知識の網羅的伝達より遙かに成績が向上する。
15．「できた」「分かった」だけの授業では個人差がより大きくなる。
16．「リフレクション」によって学習を将来や生活につなげることが大切である。
17．単元をレイアウトする「単元の再構成」によって学習を効果的に進められる。
18．学習課題は「メタ認知」のような捉え方で柔軟に考える。
19．追究型学習課題⇒「まとめ」とはならない。（⇒「リフレクション」となる。）

【追究型学習の効果】

20．追究型学習ではパーソナリティが尊重される。そのためクラス全体・学校全体が和やかな雰囲気になる。
21．堂々と発表したり，主体的に活動したりする姿勢になる。
22．追究型学習では相手をリスペクトする活動が多い。そのため，けじめがしっかりできている人間になる（話すときは話す，聞くときはしっかり聞く）。

1．不断の授業改善

「不断」とは文字通り「常に」という意味で，常に授業改善が大切という意味です。常に授業改善していくことはたいへんなことです。ただここで考えたいのが「何のための授業改善」かということです。

もし，自分には授業改善の必要なしと判断しているならば，授業改善が進むことはありません。私たち教員は，常に研修する気持ちと改善する気持ちをもちあわせなければなりません。

新学習指導要領は先行実施の期間を経て，令和２年から小学校が全面実施しています（中学校は令和３年から全面実施）。何らかの手立てや改善が必要になっているはずです。

ここまで，今考えていかなければならないことを述べてきましたが，時代も授業改善を必要としています。時代の流れのみに固執する必要はありませんが「将来を見据えて，力強く生き抜いて行く人間を育てる学習をいか展開していくか」が重要になっています。

冒頭から，追究型学習は全教科等で実践できるだけでなく，小学校・中学校・高校の全ての校種で実践できることを示してきました。もちろん実際に自分でも全校種で行ってきました。要は取り組むか，取り組まないかの違いです。

ここで言う授業改善とは，

- **校種や教科・学年の枠にとらわれず，共通して行う授業改善**
- **そして，到達できなっかたことを宿題や課題に頼らず，授業で勝負するという強い信念**

のことです。

また，共通して全教科で行う実践。段階的に行っていく実践の効果についても述べてきました。ただ，基礎的・汎用的能力の段階は見分けや設定に無理があります。そのため，段階的にキャリア形成に迫っていくというよりは，キャリア・パスポートのように継続して関わりをもっていくことが現実的な方法だと考えます。

小学校から中学校，中学校から高校という流れをできる範囲で継続するべきです。緻密な計画を立て，連携しようとしても一定の職員が顔を合わせての連携というのは，時間的にも，場所的にも難しいはずです。また顔を合わせたり，協議したりすることだけが連携ではありません。共通して行えて，長続きする無理のない実践内容にすることが，子供にも先生方にも地域にもよりよい影響を与えていくことになります。

たとえ，間違いのない素晴らしい方法であっても，実際に活動する際，無理のある実践は長続きせず，効果がありません。

このような観点で，多くの教師集団を巻き込み不断の授業改善に迫ることができました。

2．教師の「しなやかな発想」へ

「不断の授業改善」同様，授業改善には，柔軟で「しなやかな発想」が大切です。いくら研修を積んでも，その研修が生かされなければ，何の意味もありません。今回の学習指導要領の改訂は，進む方向として大きな違いはないものの，学習のプロセスに対して非常に大きい改訂であることを述べました。

確かに，これまでの学習形態・学習指導でも，学習効果を上げている内容はあります。しかし旧態依然とした発想は改善し「しなやかな発想」で，子供に任せるところは大幅に任せる授業を展開しなければなりません。その課程で，意図的な展開をしていく教師のプロとしてのスキル(例えば追究型学習課題を短時間で意図的に引き出すなど)もさらに磨き上げなければなりません。授業改善に取りかかろうとするか，しないかは本人次第ではありますが，全職員で全教科等が教科の枠を越えて，同じベクトルで授業改善を進めるその価値や効果はかなり大きいものです。さらに子供も教師も「知識を生活の中で生きてはたらく，使いこなせるものにする」という同じ目標を忘れず学習を進めていくことが求められます。

これまで実際に本校で実践できたことを述べてきましたが，授業改善は，大きく次の2方向があると思っています(小・中・高校共通)。

1つ目は，共通してできる実践を全職員で行うこと。
2つ目は，教科自体の特性から授業改善を行うこと。

これについても，共通して実践する内容を大切にしながら，同時に教科としての専門性が生かされた研究にも取り組んできました。研究の焦点がぼけてしまう可能性に気を付けつつ，この2方向から，柔軟にしなやかな発想で，授業改善が行われるべきです。

「しなやかな発想」とは，これまでの固定観念(例えば，一斉授業の方が一般的であるという考え方)を壊すと言ってもよいくらいです。「しなやかな発想」になるためには，変化することへの納得も必要になります。

ところで，あなたはこれまで普段の授業において，キャリア教育をどれくらい意識して授業をしていたでしょうか。

「任せるところは大幅に任せる」学習形態が基礎的・汎用的能力の育成につながっていきます。できないからやらないという発想は捨て，不易の発想のもと，時代の先を読みチャレンジすることを勧めます。学習の取組へほんの少しの違いが，大きな結果の違いとなってあらわれてくるのです。

ぜひ，キャリア教育を意識して，普段の授業を展開してください。

中教審答申「資質・能力」

(第一部)P31
こうした枠組みを踏まえ，教育課程全体を通じてどのような資質・能力の育成を目指すのかは，各学校の学校教育目標等として具体化されることになる。〈中略〉特に学びに向かう力・人間性等」については，各学校が子供の姿や地域の実情を踏まえて，何をどのように重視するかなどの観点から明確化していくことが重要である。

【補足】

学びに向かう力・人間性を明確にするため，地域の実情や子供の様子をしっかり捉えて育てていくことの重要さが述べられている。
(中教審答申[2]より)

中教審答申「教科を学ぶ意義」

(第一部)P32
子供たちに必要な資質能力を育んでいくためには，各教科等での学びが，一人一人のキャリア形成やよりよい社会づくりにどのようにつながっているのかを見据えながら，各教科等をなぜ学ぶのか，それを通じてどういった力が身に付くのかという，教科等を学ぶ本質的な意義を明確にすることが必要になる。

「教科等を学ぶ本質的な意義を明確にすること。」「各教科等の学びでキャリア形成を図ること。」がしっかり述べられている。

特活解説「縦(校種等縦断)をつなぐ」

学級活動(3)の内容が，キャリア教育の視点からの小・中・高等学校のつながりが明確になるよう整理されたということである。ここで扱う内容については，将来に向けた自己実現に関わるものであり，一人一人の主体的な意思決定を大切にする活動である。小学校から高等学校へのつながりを考慮しながら，中学校段階として適切なものを内容として設定している。キャリア教育は，教育活動全体の中で基礎的・汎用的能力を育むものであることから，職場体験活動などの固定的な活動だけにならないようにすることが大切である。

小学校から高等学校のつながりをより大切にしながらキャリア教育が行われること。固定的な活動(職場体験など)を行うことのみがキャリア教育でないことが明確に示されている。

総則，特活「学習を見通し，振り返る教材の活用」

（総則：小中共通）
（児童）生徒が学習の見通しを立てたり学習したことを振り返ったりする活動を，計画的に取り入れる工夫をすること。

（特別活動　内容の取り扱い：小中共通）
学校，家庭及び地域における学習や生活の見通しを立て，学んだことを振り返りながら，新たな学習や生活への意欲につなげたり，将来の生き方を考えたりする活動を行うこと。その際，（児童）生徒が活動を記録し蓄積する教材等を活用すること。

新学習指導要領（総則・特別活動）に，上記のような記載があります。また「見通す」活動，「振り返る」活動を新たな学習や生活への意欲や将来の生き方ににつなげることが明記されています。さらにキャリア・パスポートとの関連も記述されています。このように追究型学習は，新学習指導要領と一致していることが分かります。

【用語補足解説】

※１　先行実施（P103）

新学習指導要領を前倒しして行ってよい期間のこと。「全面実施」は，法律上必ず行うことであるが，「先行実施」は「全面実施」に先駆けて２年間準備期間として設定されている。そのため，教育が進んでいる学校によっては新学習指導要領に沿った取組が行われた。

※２　中央教育審議会答申（P105）

中央教育審議会とは，文部科学省組織令の規定に基づき，文部科学大臣の諮問機関として文部科学省内に設置されている有識者で組織する審議会である。中教審（ちゅうきょうしん）と略すこともある。ここから答申が出される。

中央教育審議会は，次の事務をつかさどっている。

1．文部科学大臣の諮問に応じて，教育の振興及び生涯学習の推進を中核とした豊かな人間性を備えた創造的な人材の育成に関する重要事項，スポーツの振興に関する重要事項を調査審議し，文部科学大臣に意見を述べること。
2．文部科学大臣の諮問に応じて生涯学習に係る機会の整備に関する重要事項を調査審議し，文部科学大臣又は関係行政機関の長に意見を述べること。
3．法律や政令により中央教育審議会の権限に属させられた事項を処理すること。

控えたい授業・避けたい授業とは……？

追究型学習はこれまでの授業形態を大きく変えるというものではありません。追究型学習はすでに授業の中で行われていることが多いからです。とはいえ，これまでの通りそのままでよいというわけではありません。学習が生活や将来につながっていることを意識化させる必要があります。

子供が学習課題を設定する場面から，最後の振り返りまで連続して，学習が意味あるものとして，生活や将来とつながっていることを意識させながら授業を進めなければなりません。

「これまでの学習形態」という言葉で全てを説明するつもりはありませんが，自分自身の経験を含めて，次のような授業を，控えたい授業として捉えています。

控えたい授業・避けたい授業

1　一方的で一斉に終始する授業
2　答えがひとつで，そのアプローチもひとつの授業
3　学びが生活や将来につながらない授業
4　単発の発表が多く，思考する場面の少ない授業
5　リフレクションにつながる学習課題が提示されていない授業
6　「？」は付いているが「～しよう！」と同じ内容の学習課題の授業
7　「まとめ」と「振り返り」の区別のない授業
8　教師主導で子供に任せる場面の少ない授業
9　「できた」「分かった」が中心の授業

細かい視点からはまだまだありますが，上記の内容はちょっとした取りかかりの修正や付け加えによって簡単に改善できます。すでに上記のような内容は乗り越えている方もいると思います。

そのような場合，次は追究型学習です。第２章の内容が実践できれば，追究型学習になります。ぜひ実行してみてください。この改善によって，子供たちに違いが出てくることを実感してほしいと思っています。

おわりに

キャリア教育に関するQ&A

おわりに

「シンガポールからの来校者(留学生)」から感じたこと……。

【校長通信に載せた文章】

シンガポールとノルウェーからの来校者が３名おりました。３名とも日本生まれで，数年前まで日本でくらしています。しかし，今では英語は堪能で，日常で全く支障なく力強く使っていることに驚かされます。

遠い外国から日本を，大館を学びに来た人たちです。吸収の度合いが違います。驚いたことを挙げると次のようになります。若干17歳の学生たち。文科省並みです。

今回は英語科中心ですが，他教科も同様だと思います。この学生たちは日本の指導主事ではありませんが，逆にこの学生に学ぶ姿勢や学ぶ自分の柔軟性をもってみてください。ストレートな表現もありますが……。

ここからがすごい！！……ほとんどが指摘とアイディア！

1．生徒の座席配置。みなが前を向いているのが不思議。そのため，話し合いができない。または，話し合いが見られない。

2．分かりきったことを繰り返している。何のための勉強？

3．後ろの生徒は黒板がよく見えない。学習の意図が見えない内容・資料もある。

4．単語のみを習う色彩が強い。とすれば，前もって今日使う単語リストを渡し，そのリストに従って，間違えてもよいので発表する。

5．何のために英語を学ぶのという問いに対して，それなりに理由がありよいが，「楽しいですか？」という質問には，無言または「ノー」が多かった。

6．「教わった英語に自信がもてない」として，多かった理由は，「発音が通じるか分からない」が多い。だったら発音はALTから学べばよい。

7．ALTのみの授業があってもよい。放課後でも……。

8．教わったものを消化するタイプの授業が多い。教師も生徒も互いに提案して授業をつくるような方法はどうか。

9．英語をしっかり話すためには，母国語の習得が大切である。母国語での思考が英語にも反映される。

10．生徒に任せている場面が少ない。

11．日にちや曜日を聞く，授業最初のルーティンは外国の幼稚園でもやらない内容。

２日間の滞在でしたが，中学校の授業を参観し，その感想をストレートに話してくれました。

本人たちは，自分たちの授業との違いを感じたままに話したのだと思いますが，真に迫る的確な捉え方に驚かされました。改めてなるほどなと感じた次第でした。

私たちが「当たり前」と思っていることが，その国やその地域，場合によっては，その学校だけ，その人だけということは珍しくないかもしれません。

広い視野から物事を多面的・多角的に捉えることの大切さを改めて強く感じた交流でもありました。また日本人は，ある程度仲よしでないと，思っていることを言わない国民性もあると感じました。

ここで，もうひとつ感じたことは，彼ら留学生は，本校で目指している「追究型学習」の肝をついているということでした。彼らはなぜ我が校で追究型学習を実践しているのかという説明にも，共感していました。しかも，文科省などが考えているようなことを誰からも，何も聞かずに述べていました。

彼らが勉強になるどころか，私たちが大いに勉強になった訪問でした。

キャリア教育に関するQ＆A

これまで様々な場で質問を受けた内容をQ＆Aでまとめてみました。

Q1　キャリアノートでの次につなげる振り返り（リフレクション）はどうやる？

定期的にキャリアノートで自分を振り返ると，**成長した自分が見えてきます。**「あのときはこう考えていたんだな」とか「あのときの自分はこんなだったんだな」などと感じ取ることができます。

単に感傷的になるのではなく，**自分のキャリア発達を振り返る**（リフレクションする）ことで，次につなげることができます。そして**基礎的・汎用的能力育成に直結する**大切なツールとなります。

私が着任した学校で実施した「次につなげるリフレクション」については全教育活動で行っています。**学びが生活や将来，次につながることを生徒も教師も意識しています。**またキャリア教育を全教育活動の中で意識して行っているため，各教科等において「追究型の生徒」の生徒を育成を目指しています。「追究型学習」では自らが学習課題を設定し，リフレクションを行い，学び続ける児童生徒が目標です。キャリア教育が根底及び基軸にある学習です。

Q2　キャリアノートの活用の仕方は？

活動があってすぐノートに記入するわけではなく，**活動や学習で活用したプリントや資料をポートフォリオ的に蓄積**して，その後，資料やプリントを精査しながら，活動を振り返り，キャリアノートに短く記入しています。数年後にはまた振り返りと意思決定につなげます。幼いころは，なりたい自分や職業は「夢」ですが，徐々に「夢」が「現実」に近づいていく様子がよく分かり，**どのようなサポートをしていけばよいか明確になってきます。**

※秋田県では2012年から「キャリアノート」としてスタート。
※大館市では「キャリア・パスポート」は体験学習のパスポート。

Q3　学校以外でのキャリアノートの活用の仕方は？

現在活用しているキャリアノートそのものだけでは不十分であり，**補助資料や補助学習材が必要**になります。

キャリアノート活用の大きな利点は，年度をまたいで蓄積してきた**自分の成長を一瞬で見る・感じる・確認することができる**ところにあります。これは保護者にとっても同じであり，コメントを記入してもらうだけではなく，保護者に子供が学校でどんな活動をし，その過程でどのように成長したかを知らせる機会にもなります。

大館市では，訪問した職場や体験先の方々からいただいたコメントなどもキャリア・パスポートとしてキャリアノートに添付して活用しています。

「活動あって学びなし」とならないよう，「活動」に関しては，**何のための活動なのか，事前・事後の活動を大切にしなければなりません。**

見方・考え方がどのように変わったのか，そのエキスをキャリアノートに記録しておくと，２・３行の文であっても，**第三者にも自分にも，その成長の様子がよく分かる**必要なツールとなります。

Q4　キャリアノートの手直し・活用の仕方は？

秋田県全体で活用されているノート（冊子型）は, 法定帳簿ではないため, ノート内の質問事項を単元や授業の内容に合わせて多少マイナーチェンジし，**学校の実態や児童生徒の状況に沿うように加除・修正**をして活用しています。

何よりも有効に活用することが大切だと思っています。

さらに，活用については，学年末ぎりぎりに行うのではなく，年２回７月と２月には保護者と学担のコメントが入っている状態で振り返りを進めています。

その他, 普段の授業や集会活動ですぐ活用できるよう, **常に教室に整理してロッカーに置く**ようにしています。金庫に保管するようなことはありません。

９年間も使えば，ボロボロになってしまいますが，それもまた成長の過程を示す大切な宝物になります。

Q5　どんな「問い」を入れるとポートフォリオとして活用しやすい？（キャリア・パスポート含む）

「未来の自分に対して」コメントするという「問い」はどうでしょうか。

生徒はどう伝えたらよいかとか，どんなことを語ったらよいかを考えることになりますが，今の自分と比べる素材のない状態で，未来の自分に問いかけたり，アドバイスしたりしたいことはたくさんあると思います。未来の自分を想起する際，**授業も行事も自分を成長させるためにやっているんだ**ということに結び付けることが大切です。このノートがあると現在と将来の自分とを容易に結び付けることができます。

キャリアノートやポートフォリオを活用する際の留意点として，書き留めてあったことが，**自分の成長とどう結び付いていくのか，見える・分かるようにし**，その時の感覚だけで記入するのではなく，**記録された資料をよく見て，過去をしっかり振り返る**ことで，現実に限りなく近い未来が見えてくるのではないかと思っています。

Q6　キャリア教育に関して，教師側のPDCAの回し方は？

４月にはキャリアノート以外のカードに生徒一人一人に記入してもらった目標や手だてについて教師が把握し，コメントを記入します。またキャリアインサイト（職業に役立つ適性評価）の実施により，**本人の適性や可能性を教師も生徒も把握**しています。その上で，全教科・領域・学校行事の教育課程全体で基礎的・汎用的能力の育成に向け追究型学習を進めていくことを単なる確認で終わるのではなく，学校としての意気込みも含めて**教職員全員でチームとして関わり続ける**決意を確認してきています。

そこには適正なPlanとDoがあります。

マイナーチェンジや軌道修正については，生徒の状況を見取りながら，ミドルリーダーとも協議しながら進めてきました。本校では，すぐ教職員全体にその広がりを実行できるよう，職員会議以外でも短時間で校長が伝える会（「10分会」）を繰り返してきました。基本的にPDCAサイクルです。

Q7　職員への周知の仕方は？

校長のリーダーシップが大きいです。研究主任へは普段の授業参観から同行してもらい，ミニ授業研究会を行ってきました。ミニ研究会は校長・教頭・研究主任で構成しています。互いが出張などで揃わない時は，二人または校長または教頭のみということもありますが，**「不断の授業改善」を常に呼びかけてレクチャー**しています。

この繰り返しによって，研究主任も自ら研究を深めたり，教師集団も互いに情報交換して高めあったりなどの現象が見られ，結果としてそれらが生徒に還元され，県内でも高い学力の維持につながっています。

また，職員会議・校長通信・研究部からの通信だけではなかなか周知できません。有効だったのは，時間をかけての**校内全員研修会での演習**でした。演習をきっかけに**授業を共に考える雰囲気**が出来上がっていきました。

Q8　普段の蓄積について，教科と行事等ではサイクルが違うがどうしたらよい？

キャリア形成について，**教科は長いスパン，行事は短いスパン**で取り組んでいます。

行事より長いスパンの教科では一単元を１サイクル型で捉え，ひとつの単元でどのような力を付けるのかをより明確にするため，教育課程の内容をしっかり押さえながら，大きく外れない範囲で，**児童生徒の実態に合わせ単元を「再構成」**し，単元の「構成図」や「評価計画」を作成してから，学習の指導・支援を行うことを進めています。

単に教科書通りとか教師のやりやすい学習にするのはタブーとしてきました。

教師自身の手で単元の教材研究が十分行われ，単元を「再構成」し，単元目標が明確であれば，学習内容の習得だけでなく，どのような成長があったのかを振り返ることが，より有効になります。

そこにあるべき姿のカリキュラムマネジメントがあると思っています。

行事については，記憶が薄れないうちにリフレクションを行い，そのプリントや資料をその都度，蓄積するようにしています。

ちなみに，蓄積したプリントは，キャリアノートにスムーズにつなげるため，**定期的に時間をとって整理**しています。

Q9　単元のねらいと単位時間のねらいの設定の仕方は？

単元を通してでも，１単位時間であっても，必ず追究型の学習課題を設定しています。単元全体を通してのめあてもあるからです。

学習課題設定はできる限り生徒から誘導的・意図的に出してもらっています。

この学習訓練が日々行われていれば，教師の意図した学習課題は比較的容易に設定されるようになります。

追究型学習の課題設定については，やはり「高度なスキル」と「徹底した教材研究」が必要だと思っています。

本校では，押さえるべき学習内容を「まとめ」とし「リフレクション（振り返り)」はあくまでも学習課題で，と棲み分けしています。

つまり，学習課題は「○○の学習をしよう」ではなく，その学習のもつ側面的な「○○には，どのようなよさがあるのだろう」というような，基礎的・汎用的能力の育成につながる設定をしなければなりません。

追究型学習は，学習課題の設定が勝負です。**単元のねらいは教師サイドがこの子供にどんな力を付けさせなければいけないのかを見極め，単元を「再構成」する前に設定されるべきです。**

Q10　追究型学習での学習課題設定とリフレクション（振り返り）の仕方は？

学習課題を生徒から意図的に引き出していく過程で重要なのは，その学習課題が**リフレクションまで耐えられるか**という点です。

追究型学習では学習課題設定が肝です。決まった答えを出すようなタイプの学習課題は授業の途中で完結してしまいます。

学習課題がリフレクションに直結していることがキャリア教育につなげる条件です。だからこそ，本校では「まとめ」と「リフレクション」を完全に分離し，学習内容で押さえるべき事項を「まとめ」で行い，その後「リフレクション」を短時間で行っています。

本校ではリフレクションの視点として次の２点を入れるようにしています。

１．今の学習は生活や将来とどうつながっているか。

２．今の学習で自分は，どう変容したか。

リフレクションには，段階の設定はありません。

Q11　追究型学習の概要と取組について知りたい。

大館市では，「大館型学力」を設定しています。これは基礎的・汎用的能力に迫る内容と近いものがあり，本市では「ふるさとキャリア教育」という名で全小・中学校で取組が行われています。

本校では，そのアプローチとして「追究型学習」を全教科等で行っています。特に次の実践１〜３に力を入れています。

実践１「本時のねらいを達成する追究型の学習課題の設定（意図的引き出し）」

実践２「授業の中に追究・実験・比較・検討・発表などの学習活動の導入」

実践３「提示課題を用いて，本時の振り返り（次につなげるリフレクション）」

追究型学習は独特の手立てによって，基礎的・汎用的能力の育成を図り，キャリア教育に迫っています。

現在，キャリア教育が機能し，順調に育っている状況にあり，小規模校ながら生徒達は非常にたくましく，大規模校であっても共通理解のもとフットワークよく活動し，活力のある生徒が増え続ける状況にあります。

よりたくましい生徒を育てる観点から，各教科でも負担なく使えるキャリアノートあるいは蓄積ファイルが**連続的に有効活用**されるとその効果は上がります。

物事を自ら追究していく学習（基礎的・汎用的能力の育成）とキャリアノートはつながりをもたせ，自分らしい生き方の実現に結び付けてきました。全て追究型学習の一環です。

Q12　改めてキャリア教育の在り方について知りたい。

「４領域８能力」の定義に代わって，平成 23 年１月に「今後の学校におけるキャリア教育・職業教育の在り方について」（中教審答申）で，「基礎的・汎用的能力」が提唱されました。

この答申では，「勤労観・職業観」という言葉が，「社会的・職業的自立」という言葉に置き換えられました。「キャリア教育＝勤労観・職業観の育成＝職場体験活動の充実」という一面的な理解を避けるためのものです。

新学習指導要領総則では，「（前略）社会的・職業的自立に向けて必要な基盤となる資質・能力を身に付けるためキャリア教育の充実を図る。（中略）学校の教育活動全体を通じ，組織的かつ計画的な進路指導を行うこと。」となっています。

ここで考えたいのが,「必要な基盤となる資質・能力」です。学校・社会は，保幼・小・中・高・大など，子供（のキャリア発達）は続いて行くのに対し，**現場では，そのつながりは薄い**（思っている程の連携でない）と思います。

「基礎的・汎用的能力」は，すぐに身に付くものではありません。だからこそ，教育活動全体を通じ，組織的かつ計画的な教育が継続して行わなければならないのです。そこには**キャリア教育の十分な理解に基づいた継続的実践**が必要だと思います。

「心」を育てる……強い，優しい等々，様々な心があると思いますが，キャリア教育の中心は「心」を育てることにあると思います。

全く同じものではありませんが,「追究型学習のリフレクション」は「心」を育てることにもつながっています。

Q13　追究型学習を継続する別の効果は何かある？

追究型学習は基礎的・汎用的能力の育成のために行っている実践です。子供や先生や地域にも様々なよい効果があります。具体的には，人間関係や地域との関係など数え切れません。基礎的・汎用的能力は「汎用的」だからです。

創立70周年を記念し，地域の方々も参加

１つ例を紹介すると，部活動への影響です。**「力強く生きること」**や**「相手に正確に自分の考えを正確に伝えること」「仲間をリスペクトすること」**など，追究型学習では繰り返し実践してきたことがスポーツにも影響しました。

前任校は開校70年を記念する学校ですが，中学校野球の地区大会で70年間１度も優勝したことのない状況にありました。追究型学習２年目の年，野球部は接戦を制し「70年目の初優勝」を果たしました。その後もなんと野球部は２連覇・３連覇と続き，さらに，他の部活動も地区優勝をするなど，すごい活躍をしてきました。ここにも，**生活や将来と結び付ける追究型学習の効果**があらわれたと考えています。

Q14　追究型学習の特徴は他の学習形態とどう違う？

まず始めに，「追究型学習の形態」は，校種関係なく，**小・中・高等学校等どの校種でも十分機能します。**

追究型学習＝教わるからの卒業の「学習パターン」は前述の通り，

1．追究型学習課題の設定（子供サイド）
2．見通し
3．自力解決
4．比較・検討などの対話
5．まとめ
6．リフレクション

という流れであり，学習形態として驚くほどのものではありません。

しかし，次のように，

●学習課題を追究型にすると……

例「この台形の面積は，どのような方法で求めると，どんなよさがあるのだろう？」

●方法や結果への見通しがスムーズにできるようになる

例「台形を２つの三角形に分けてみよう。その方が**素早くできそうだ。**」
「台形を３角形と四角形に分けてみよう。その方が**分かりやすそうだ。**」
「台形を横に逆さまに並べて計算し，1/2 した方が，**間違いがなくできそうだ。**」

●見通しを生活や将来につなげることができる

「素早い」「分かりやすい」「計算しやすい」「間違いが少ない」など学習した効果や現象を生活の中で使える・使うという発想です。

●だからこそ学習課題は，最初から追究型になっている方がよい

最初から追究型学習課題で進める学習は，途中で学習に付随する発問を追加しなくてもよくなります。

しかし追究型でない，例えば「この台形はどんな方法で求められるだろう？」という学習課題であれば，追究型と同じようにいくつかの計算方法がでてきますが，深い学びにするためには，不十分な学習課題になります。それは，深まりのある学習にするために，**解決方法の効果などに目を向ける新たな発問**が必要になるからです。例えば「今の方法は，どんなよさがありますか？」のように。

このような授業は結構見かけます。**深い学びにするために**，先生方は様々な視点からの発問を投げかけます。

このときの**発問内容には，追究型学習の要素が含まれている**ことが多いのです。P99 で示した授業では，２次方程式の授業で先生が「この式をもっと整理できないか？」と言い，その後「もっと美しくできないかな？」と言っていました。

これが深い学びへの入り口であり，**この言葉こそ追究型学習課題になる**のです。「２次方程式を美しく解くにはどうすればよいだろう？」という学習課題を最初に引き出せばよいのです。これによって「見通し」がスムーズにできるようになります。答えを出すだけでなく，アプローチに対しての思考・判断・表現という，１ランク上の学習をするため，学習内容もよりしっかりと定着されます。

「この台形はどんな方法で求められるだろう？」という学習課題で学習を進め，一定の考えが出できた後に「今の方法は，どんなよさがありますか？」と発問し直す方法でもよいのですが，**活動や思考により多くの時間が必要になります**。さらには「この台形はどんな方法で求められるだろう？」という学習課題では，**生活や将来につなげる「見通し」**ができなくなります。

したがって，最初から追究型学習課題を引き出し，設定した方が「見通し」の段階から生活や将来とのつながりが生まれ，ストレートに深まりのある学習につながっていきます。

見通す段階から生活と将来とのつながりがあるかないか。リフレクション（振り返り）が生活と将来とのつながりにまで到達できるかできないか。この違いを理解しつつ，追究型学習を繰り返すことによって学習の効果が大きく上がっていきます。

「成績を上げる」「学力を上げる」ということをよく耳にします。学力をどう捉えているかは別としますが，少なくとも知識のみということはないと思います。詰め込み型，伝達型の学習では，一時的に○×式のような問題の解答には向上が見られると思います。しかし，将来につながらない一時的な点数アップだと思います。

追究型学習は，基礎的・汎用的能力の育成などに迫るため，授業で任せるところは子供に任せるスタンスです。長い目で見ると自力解決や集団での対話によって，思考力・判断力・表現力が備わり，力強い人間に成長していきます。「簡単に答えが出てこない」あるいは「答えがない」ことに挑む訳です。これまでの状況を見ると，学習状況調査の結果が，小規模校はもちろん大規模校でも飛躍的に向上しています。そしてまた，活力ある子供たちがどんどん増えている状況になっています。

Q15　追究型学習＝教わるからの卒業を行うことのメリットとは？

「追究型学習」は，本書で述べてきたように，基礎的・汎用的能力の育成（キャリア教育）を基本にしているので，次のような効果があらわれてきます。

1．活力ある子供（人間）になる
2．壁（困難）を乗り越えようとするたくましい子供（人間）になる
3．様々な視点から柔軟に考える子供（人間）になる
4．人任せにせず，自ら活動する子供（人間）になる
5．堂々と行動する子供（人間）になる
6．相手をリスペクトする子供（人間）になる
7．自分の考えを正確に伝える子供（人間）になる
8．学習が記憶にしっかり残り，定着する（成績が向上する）
9．生活の中で知識を使いこなす子供（人間）になる
10．使いこなす知識を新たな知識として創り出せる子供（人間）になる
11．学習に極めて意欲的になる
12．学級や学校の集団が共感的で受容的な関係になる

追究型学習の特長	● 答えがひとつではない学習，あるいは答えがない学習 ● アプローチの方法がいくつかある学習 ● 学習の効果や影響そのものを考える学習 ● 任せるところは思いっきり任せる（自己決定・選択）学習 ● 自力解決の学習 ● 対話によって考えを深める学習 ● 相手をリスペクトし，よく聞く学習 ●「まとめ」（学習のポイント）は教師が短時間で行う学習 ● リフレクションで学びを生活や将来とつなげる学習 ●「できた」「分かった」だけの個人差が生まれやすい学習ではない

「追究型学習」を全教育活動で学年の隔たりなく全職員で実践すると，その効果がより大きくなり，結果となってあらわれてきます。

その効果は，子供も先生も感じ取ることができ，学校や地域にもよい影響を与えていきます。

【参考資料】

・「新学習指導要領解説　総則編」文部科学省（平成29年７月）

・「新学習指導要領解説　特別活動編」文部科学省（平成29年７月）

・「中央教育審議会答申」文部科学省
「今後の学校におけるキャリア教育・職業教育の在り方について」（平成23年１月）

・文部科学省HP・文科省チャンネル
「全国キャリア教育・進路指導担当者等研究協議会③」（平成30年５月）

・「生徒指導提要」文部科学省（平成22年３月）

・「キャリア教育　リーフレットシリーズ特別編」文部科学省・国立教育政策研究所
「キャリア・パスポートで日々の授業をつなぐ」（平成30年５月）

・「中等教育資料」学事出版
全教育活動で行う「追究型学習」＝「教わる」からの卒業（平成31年２月号）

【著者経歴】

小学校・中学校・中高一貫校で勤務

平成　５　特別活動（学校安全）の研究発表　文部大臣表彰・内閣総理大臣表彰

平成　８　秋田県算数・数学研究会「齋藤六三郎賞」受賞「実感できる算数のよさ」

平成　９　特別活動（健康教育）の研究発表（東京・広島）文部大臣表彰

平成１６　秋田県教育研究奨励賞受賞「社会科（市町村合併からの提言）」

平成２６　秋田県大館市立下川沿中学校　校長

平成２８　秋田県小・中学校進路研究会　会長（～令和元）

進路指導連絡協議会全国大会発表（国立オリンピックセンター）

文部科学省キャリア・パスポートの諮問委員

平成２９　「中等教育資料」に下川沿中学校の実践掲載（文部科学省から依頼）

平成３０　全国キャリア教育連携推進表彰（DS（下川沿開発）プラン）下川沿中学校区受賞

秋田県大館市立第一中学校　校長

全国キャリア教育・進路指導担当者等研究協議会　先進事例発表・指導助言

文科省リーフレット・文科省チャンネル（YouTube）掲載

秋田県キャリア教育実践協議会　全体研修講師

全国小学校キャリア教育研究大会　京都大会（パネリスト）

平成３１　「中等教育資料」に第一中学校の実践掲載（文部科学省から依頼）

令和　元　中央研修講師（キャリア教育）６月・８月（文部科学省から依頼）

令和　２　秋田県小・中学校進路研究会　名誉会長

秋田県初任者研修統括指導教員：大館市教育委員会教育研究所

※１　平成30年５月　文部科学省　国立教育政策研究所　発行
【初版発行「キャリア教育リーフレットシリーズ特別編」で追究型学習の内容の紹介】

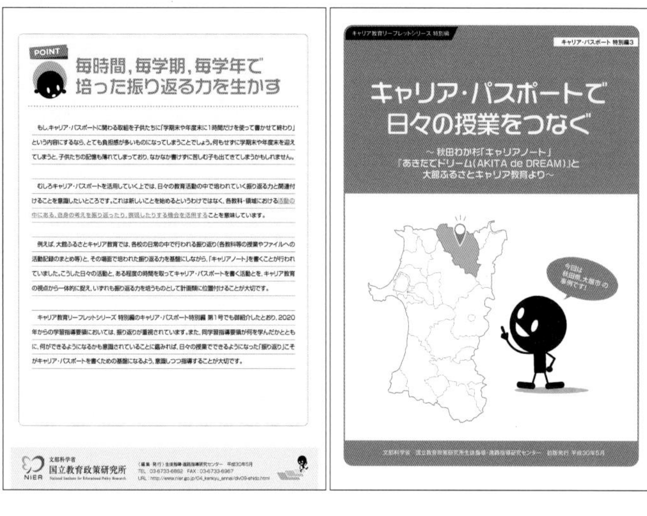

平成 29 年２月，新学習指導要領告示前，文科省において，キャリアノートの活用と「追究型学習」について説明。これを受けて平成 29 年２月文科省から２名が下川沿中学校に来校。キャリアノート活用について追究型学習で授業提供し，研究経過説明。この実践内容はリーフレットだけでなく「中等教育資料」11 月号にも掲載。

※２　平成30年５月　文部科学省主催（東京オリンピックセンター）
【全国キャリア教育・進路指導担当者等研究協議会　講師・指導助言者】

文科省チャンネル　YouTube
全国キャリア教育・進路指導担当者等研究協議会

各都道府県等から指導主事等が参加の協議会。秋田県大館市の実践やこれまでの実践を基に講話。キャリア教育が全教育活動でできることと，その必要性を説明。

※３　平成30年12月　第１回全国小学校進路指導研究会　京都大会　パネリスト

この大会は，小学校の大会であったが，キャリア教育の性質上，中学校の実践について言及。キャリア・パスポートは，小・中学校どちらでも，そして高校でも必要なツールになることなどを講話。

※４　令和元年度　キャリア教育中央研修　講師　第１回６月・第２回８月

キャリア教育を小中高さらにその前後で，「どのようにしていけば効果的に連携できるか」について，グループ協議の後に「真の連携」や「長続きする連携」について講義。

※５　県外夏期講習会講師　令和元年７月

県外研修会では，中央研修で講義した内容にその後の状況，新学習指導要領とをからめて，より具体的に詳しく説明。一方的な講義だけではなくグループ討議を導入。

※６　平成31年２月文科省「中等教育資料」執筆

秋田県大館市立第一中学校

全教育活動で行う
「追究型学習」＝「教わる」からの卒業
～授業でできるキャリア教育～

1　はじめに

本校は秋田県北部にある生徒数455名の中学校である。昨年度創立70周年を迎えた。一人一人の生徒が自ら心身共にさらにたくましく育っていくことを目標にし，「教わるからの卒業」というスタイルを前面に出している。「教わるからの卒業」とは，主体は子どもにあり，能動的に学習していく姿である。教師側の指示をより明確かつ，より少なくすることや学んだことを活用し，生活や将来につなげる実践を全校で行っている。やがてどこにいてもふるさとを支えていこうとする強い気概をもつ人間を育むことが教育理念である。そのための追究型学習の実践を積極的に取り組んでいる。

2　本校での実践

科・領域等の単元や題材の中のポイントを絞って日々行っている。特別活動や総合的な学習の時間だけでキャリア教育を進めていくのではなく，また体験活動等だけでもなく，全教育活動において基礎的・汎用的能力の育成に少しずつでも関わる実践をしてきた。

特に普段の授業では「不断の授業改善」として，短時間でも職員が互いに授業参観を行い，学習の方向性や細かい改善点を教科を越えてアドバイスしてきた。互いの意見交換は，会議室を使用せず，立ったまま行う『いつでもどこでも研究会』など授業改善を短時間でできる方法で行ってきた。全職員・全教科で追究型の学習課題を掲げて，比較・検討の時間を確保し，学習課題を使ってリフレクション（振り返り）に取り組んでいる。

「追究型学習」＝「教わる」からの卒業について12ページで「中等教育資料」を執筆・作成。

今回，本書執筆にあたり，左に示す「中等教育資料２月号」を基にして，具体的説明，説明の補足，新しい資料の掲載を追加。

タイトルもほぼ同じで，大館市立第一中学校での実践を中心に執筆。

【文部科学省 初等中等教育局 教育課程 教科調査官 長田 徹氏のコメント】

【中等教育資料２月号より】

秋田県大館市立第一中学校の取組

新学習指導要領では，自己のキャリア形成の方向性と関連付けながら見通しをもったり，振り返ったりする機会を設けるなど主体的・対話的で深い学びの実現に向けた授業改善を進めることがキャリア教育の視点からも求められている。大館市立第一中学校は，基礎的・汎用的能力に授業（改善）で迫る好事例であり，特に，以下の点で全国の中学校にも参考にしていただきたい。

① 本時のねらいを達成する追究型の学習課題の設定
② 授業の中に追究・実験・比較・検討・発表などの学習活動の導入
③ 提示課題を用いて，本時のリフレクションの実施

ねらいを明確にして発問を磨き，ねらいを達成するための学習過程を探り，次時と将来や生活につなげる振り返り活動の充実に挑んでいる。

また，キャリアノートについてもキャリア・パスポートの先行事例として全国から注目されている。

「『教わる』からの卒業」は，まさに生涯を通じて主体的・対話的で深く学び続けるアクティブラーナーの育成につながっている。

（教科調査官　長田　徹）

追究型学習のすすめ

「教わる」からの卒業

2021年3月16日　初版第1刷発行

著　者　小林一彦

発行者　岩野裕一

発行所　株式会社実業之日本社

〒107-0062
東京都港区南青山5-4-30　CoSTUME NATIONAL Aoyama Complex 2F
電話［編集］03-3486-8320　［販売］03-6809-0495
https://www.j-n.co.jp/
「進路指導net.」　https://www.j-n.co.jp/kyouiku/

印刷・製本　大日本印刷株式会社

ISBN 978-4-408-41678-6　（教育図書）